JN029581

フランス人は生きる喜びを知っている

人生に貪欲なパリジャンに囲まれてみつけた小さな幸せ

La vie est belle!

Ryoko
Paris Guide

KADOKAWA

はじめに

はじめまして、Ryoko Paris Guideです。フランス政府公認ガイドとして活動するかたわら、YouTubeで、同名のチャンネルを開設し、パリの情報を発信しています。

中学生の頃に外国映画オタクになり、パリを舞台とした名画の数々に魅せられ、フランス語の音色に憧れ、たまたま合格したフランス文学科に入学するも、大学3年生でパリ留学をしたら帰りたくなくなってしまい中退。気がつくと23年パリで生活しています。

学生生活、アルバイト、結婚、離婚、出産、再婚……。手に職があったわけでもなく、お金があったわけでも、「これがしたい！」という明確な目的もなく、ただただパリに住みたかっただけ。取柄といえば「フランス人と対等に口論できるレベル」を目標に鍛え上げたフランス語の会話力と、何よりもパリという町への愛のみ。

そんな「パリ愛」を故郷の日本の皆様に熱く語るフランス政府公認ガイドという職業があることを知り、無我夢中で資格をとったと思ったらテロ事件で観光業は閑古鳥が鳴き、「ようやく日本の皆さんが戻ってきた！」と思った矢先にコロナが……。

そんながんじがらめの状況の中、いてもたってもいられず私の「パリ愛」を地球の反対側の皆さんにお伝えしようと不器用ながらも始めたのがYouTubeでした。パリの街歩きをしたり、デパ地下や、観光客向けではない地元民御用達のカフェや、パリで人気の冷凍食品チェーン店をレポートしたり、大荷物を抱えてバカンスに出かけたり、公立の小学校に通う娘の1週間をご紹介したり…。

夫と娘とのごく普通の庶民の日常生活に、歴史的なエピソードやうんちくなども交えながら、少しでも「プライドの高い美人のようなおフランス」を今までにない角度から発見していただければという願いを込めて、へたっぴな動画を配信してきました。

この本ではYouTubeではお伝えしきれなかった、20年以上フランス人になりすまして生きてきた私の目線で、フランス流人生の楽しみ方と、ごく普通のパリ庶民の生活、そして海外永住組のリアルを語っています。

フランス人ほど、人生を全力で楽しんでいる国民はいないと感じます。

何歳になっても愛するチャンスを逃さない、10か月働いて2か月バカンスする、仲良くなりたい人とアペロを楽しむ、デモやストライキが好き……などなど。まさにLa vie est belle!（美しきや人生）なのです。

社会より個人の幸せを優先することを容認する文化があり、自分の幸せを決してないがしろにしない姿勢は、私たち日本人にとって、生き方のヒントになるのではないでしょうか？

極東の島国からやってきた向こう見ずな若い娘が、世界中が憧れる花の都に住みついてみつけた小さな幸せ。決してファッション雑誌には載らない普通のパリジャンたちの生活、貪欲なまでに幸せを追求するフランス人に囲まれて、20年以上たくましく生きてアラフォーのパリガイドになった私の独り言から、何かしらを楽しんでいただければ幸いです。

Ryoko Paris Guide

フランス人は生きる喜びを知っている

人生に貪欲なパリジャンに囲まれてみつけた小さな幸せ

目次

はじめに …… 002

1章 人生で「愛する」チャンスを逃さない

何歳になっても、準備万全でいる

熟女が輝く国、おフランス …… 020
25歳年下の男性との恋愛ドラマ …… 024
白髪の女性が起用された下着広告 …… 026

女性同士の博愛精神 sororité 028
魔法のセラム「自己肯定力」 030
熟女を褒めるフランス人男性の存在 032
内側から輝くための心のビタミン 035
Et alors? それが何か? 037
ベビーを預けて夫婦でデート 040
何歳になっても恋愛はタブーではない 041
熟年夫婦の性生活 043
いざという時の「セクシーな下着」 045
「輝くオヴァサンヌ」という生き方 046
日本人女性は海外でモテる? 049
東洋の女性にまとわりつく性的イメージ 050
日本人女性は従順で落としやすい?! 052
黒く艶があるワンレンは大人気 054
笑顔は最強兵器 054

2章

アペロ、ホームパーティ、カフェ大好き

みんなで一緒に楽しむ

恋愛大国のナンパ体験あれこれ …… 057
おフランスの結婚と離婚 …… 063
フランス女性の平均結婚年齢は37歳 …… 066
離婚理由からみえてくるフランス …… 069
何でもありな家族の形態 …… 072
結婚しても「家族」ではなく「男と女」 …… 073
国際結婚はつらいよ …… 074
フランス人男は亭主関白 …… 080

「スカイプでアペロ」が社会現象に …… 093
ディナーの前に打ち解ける大事な時間 …… 095
フランス人ホームパーティのルーティン …… 096
突発的に大人数で集まるアペロ …… 100
夏だ！　太陽だ！　アペロだ！ …… 103
セーヌ河畔でアペロ＆日焼け活動 …… 106
サバイバルに欠かせない「ご近所付き合い」 …… 107
引っ越してきたら、まずご挨拶 …… 111
「ご近所さん親睦祭り」に参加すべし …… 113
フランス人との上手な付き合い方 …… 114
フランス人の心をつかむ日本食メニュー …… 126
生きていくうえで欠かせない「カフェ」 …… 130
誰かと過ごすためのカフェ …… 132
わざわざカフェでテレビのサッカー観戦 …… 134
私が愛するパリのカフェ …… 136

3章

バカンスのために働き、バカンスのために生きる

10か月働いて2か月休む。おフランスのリアルバカンス事情

フランス人が勝ち取った「神聖な権利」……150
困った時のパピー&マミー……153
「ソントル」と「コロ」……154
4人家族の平均バカンス費用、約23万円……158
8月は国中が機能停止……161
庶民のバカンスは「キャンプ場」を目指す……163
キャンプ場の3つの宿泊タイプ……164
私の庶民派バカンス・ルーティン……167
フランス人に人気の3大バカンス地……173

4章

おフランスのリアルな食卓

美食大国の普段の食卓はいたってシンプル!

庶民の普段の食事 …… 196
フランスで人気の冷凍食品、ピカール …… 213
「これぞおフランス」な家庭料理 …… 214
食品の安全性や環境問題に敏感 …… 216
マルシェは「高い」「面倒くさい」 …… 222
和食が食べられない外国人夫問題 …… 224

5章

おフランスでの出産・子育て

子連れに優しい国。腕まくりして人助けするフランス人

子連れに優しい国、フランス……231
腕まくりして人助けするフランス人……233
フランスで出産した理由……239
手厚い社会保障と、無料の医療制度……241
フランス人男性は育児に積極的……243
同じハーフの子どもを持つ日本人ママ友……245
子どもが同じ園に通うフランス人ママ友……249
おフランスの小学生ルーティン……254
小学校は週休3日。水曜日は子どもの日……260
おフランスの給食&お弁当事情……262

新学期は「シラミ・シーズン」……268
バイリンガルというハードル……270

6章 家も車もパートナーも中古の国
リフォーム&DIY好き。パリ庶民の住宅事情

おフランスの住宅事情……277
100年以上前のアパルトマン物件……280
おフランスはリフォームが常識……283
日曜大工は国民的スポーツ……284
2003年を境に、パリの地価が高騰……286
Le Viager ル・ヴィアジェ……288

7章 Ryokoのパリガイド

パリで「奇跡の瞬間を味わえる場所」

変わらないことがパリの魅力 …… 297
パリで「奇跡のような瞬間」が味わえる場所 …… 301
1. コンコルド広場の日暮れ時 …… 304
2. 夕焼けに浮かぶエッフェル塔 …… 311
3. 霧が立ち込める冬の「芸術橋」 …… 313
4. 早朝の「フュルステンベール広場」 …… 316
5. マロニエの花咲く「ドーフィーヌ広場」 …… 318
6. 人情溢れる「シャルル・デュラン広場」 …… 322
7. 知的な香り漂う「カルティエ・ラタンの名画座」 …… 326
パリほど映画的な町はない …… 331

章

それでも愛してやまないおフランス

パリの光と影。アジア人差別とデモ&スト

アジア人差別……339
フランス人が嫌がる日本人の行動……346
日本人コンプレックス……349
フランス人の日本愛……352
デモ&ストライキが日常茶飯事……355
社会より個人優先。幸せを貪欲に追求……361

おわりに……364

1章

人生で「愛する」チャンスを逃さない

何歳になっても、準備万全でいる

おフランスには、自信と艶のオーラをまとった熟女がいっぱい。

1

1. パリでカフェのテラス席にいると、
前を通る恋人たちのドラマを垣間みる。
2.「Amour＝愛」という名の、パリで
話題のブティックホテルのカフェ。

2

薄暗い老舗カフェで、愛をささやき合うカップル。

熟女が輝く国、おフランス

何歳になっても、時間・労力・お金をかければ、老化の速度をゆるめることは可能ですし、遺伝や生活環境によっても年の取り方は違いますが、人間である以上確実に年を取っていきます。この自然の摂理に国境も国籍も人種も関係はないのですが、年を重ねた女性の社会的地位は国によって違いがあると感じます。

私がパリでガイドさせていただいた日本人のお客様の中に、70代の医師の男性と30代の女性という年の差カップルがいらっしゃったのですが、この男性の「フランスは熟したものが好きだね。ワイン、チーズ、アンティークの家具、それに女性もね」というご指摘には、座布団を一枚さしあげたくなるほど核心をついていると感じました。とはいえ、女性の老いと男性の老いは、熟すことが良いとされるワインとチーズの国、おフランスでも、まったく同じ扱いではありません。

絵画表現でも、若い肉体は「生命、美の象徴」で、老いた肉体は「老い・近づく死、醜さの象徴」というのは男女とも同じはずなのですが、外見に関して世の中から受けるプレッシャーはおフランスでも男女平等ではありません。

スーパーの白髪染めコーナーには若い女性の写真付きのパッケージしかなく、男性の白髪は「ロマンスグレー」、女性の白髪は「疲れている」と言われます。

おフランスでも最近は男性用も増えてきましたが、アンチエイジングのコスメは生理用品と同じように女性専用のもの。パリの高級住宅地16区ですれ違う熟年マダムたちのお顔には糸やボトックスが入っていますが、ポルシェに乗る良いお年の男性の横には娘のような若いお嬢さんが座っています。

熟すことが良いことのはずのおフランスでも、個人差はありますが、女性たちは皆さん「老いに対する恐怖」と戦い、その恐怖の度合によって若みえのための努力をしています。

いや、「若みえ」というと語弊があるかもしれません。60代の女性が20代に「若みえ」しようとすることと、60代が80代に「老けみえ」しないようにすることとはまったく違います。

おフランスの女性たちは多くの方が自分の年齢よりずっと若くみせようとする努力よりも、年相応にみられる、綺麗に年を重ねる努力をされているように思います。

私が「熟女大国」というのは、「何の努力もせず年を重ねる女性ばかり」という意味ではありません。チーズだって何もせず放ったらかしにすれば腐った牛乳にすぎませんが、極上のチーズは気温や湿度などの環境に気をつけながら、熟練の技で手間暇をかけ「熟成」させていきます。おフランスにはそのような「極上のチーズのような熟女がワンサカいる」のです（ワインの方が素敵なたとえなのでしょうが、私はお酒が飲めないのでチーズの方がピンときます）。

町に繰り出すと「ん？　これは熟女大国おフランス・マジック？」と思うことがよくあります。それは、40代どころか60代と思われる女性でも「色っぽい」女性を多くみかけることです。

先日、フランス人の元夫の27歳のピチピチの姪っ子と、モンマルトルのカフェに並んで座っていた時のこと。60代も後半にさしかかるとおぼしき女性が店に入ってきたのをみて、二人とも思わず「Wow Elle est classe！（うわあ！　カッコいい！）」と声が出て、一瞬で目がハートになってしまいました。

お顔にはしっかりシワも刻まれているのですが、目つきや仕草になんとも色気があるのです。老眼鏡をかける仕草でさえ色気タップリ。フワッとした白髪交じりのボブのワンレン、華奢な肩が美しくみえるシンプルなバトーネックのTシャツ、細い手首や手の動きがさらにエレガントにみえる時計やブレスレット、細いウエストを強調するハイウエストのコーデュロイのパンツと、日焼けしている肌に似合うベージュの薄いダウンという、非常にカジュアルな装いなのですが、20代と40代の二人の「小娘」が、揃ってハッと目をみはるオーラを醸し出していました。

ピチピチ、ノーメイクの20代の姪っ子と一緒に、向かいのテーブルに座る彼女の魅力の裏には何があるのかを探りました。

「おそらく元キャリア・ウーマンと思われる自信に満ち溢れている」「専業主婦だとしたら、アクティブにチャリティとかしていそう」「精神的、肉体的に、まったく疲れ切った様子がない」「自分の魅力を熟知した知的な女性」「年齢は感じられるが、ごまかそうとする形跡が一切ない」「自然にみえるが、裏には努力があるに違いない」「向かいに座る夫は未だに妻にぞっこん」というのが、我々「小娘」たちの分析・感想でした。

一緒にいた彼女の夫と思われる男性（違うかもしれないのがおフランスですが）と、とても仲睦まじくハンバーガーを召し上がっていらっしゃいました。

フライドポテトを手でつまむ仕草もエレガントで、「素敵ねえ」と「小娘」二人は熱い視線を送り続けたのでした。そんな女性に、パリではよく遭遇します。

ずいぶん前の話ですが、道ですれ違った後ろ姿が素敵すぎる女性が、実はあの大女優ファニー・アルダンだったなんてこともありました。

20代の頃付き合っていたフランス人の彼に「僕は年上の女性に惹かれる。町を歩いていても、50〜60代の女性に『うわっ！　なんてセクシーなんだ』と、ふり返ることがあるよ」と言われ、カルチャーショックを受けると同時に、どう捉えて良いのか困惑したものですが、今はその気持ちがよく分かります（笑）。

そんな色っぽいオバサンたち、輝くオバサンたちが闊歩するおフランスの秘密は一体何なのか？と考えた時に、私は「自由・平等・博愛」を掲げるおフランスの社会全体が熟女の人権、熟女が輝く自由を認めているからなのではないかと思いました。

25歳年下の男性との恋愛ドラマ

私は外国に行くと、必ずその国のローカルなテレビをみます。テレビをみると、その国の「スタンダード」、その国で「良しとされるもの」がよく分かるからです。

フランスのテレビで活躍されている司会者やジャーナリストの女性たちは、皆さん40代以上の女性ばかりです。しかもいわゆる「年を重ねていることを感じさせない美魔女」。美容整形をして年齢より若くみせようとする女性ではなく、年相応の姿形をしたオバサン世代の女性たちばかり。

テレビドラマも、最近はオジサンではなく、オバサン刑事が活躍するシリーズが何本もあり、どれも大変人気です。

とても豪快で、髪もボサボサ、華やかさのかけらもなく毒舌で、ウシャンカ（ロシア帽）がトレードマークの『Capitaine Marleau（マルロー警部）』は、普段はテレビドラマをみない人たちもハマっているドラマ。4人の子どもを持つ、キュートなブロンドのアラフィフ警視が捜査に子育てに恋愛に七転八倒する『Candice Renoir（カンディス・ルノワール）』は10年目に突入する人気ドラマです。映画でも、第一線で活躍する女優さんたちは40歳以上のオバサン世代ばかり。公開される作品の題材も

「オバサンが主役」のものが非常に多いことに驚かされます。

御年73歳のファニー・アルダン演じる女性と、25歳年下の男性との恋を描いた『Les Jeunes Amants（若い愛人たち）』は、オバサンを通り越して、おばあさんの年齢になっても妖艶な色気を醸し出すファニー・アルダンにしか演じられないおとぎ話かと思いきや、実話をもとにした作品。年の差24歳という大統領夫妻の実例が目の前にありますので、それほど驚くまでもないのですが。

また、2022年に公開され話題になっている映画、フランスで引っ張りだこの人気女優カリン・ヴィアール主演の『Maria rêve（マリアは夢見る）』という作品は、お掃除のパートをするぱっとしない「オバサン」が主婦、母親になっても「女」であることを発見するというストーリーです。

このカリン・ヴィアールは、マリナ・フォイスという女優さんと並んで、フランスでは年に何本も出演・主演映画が公開される人気者。スポットライトを浴びるようになったのは、お二人とも40代を過ぎてからです。

そして国際的に有名で10代の頃から活躍を続けるシャルロット・ゲンズブールやソフィ・マルソーも未だに引っ張りだこで女性たちの憧れの的。初々しいティーンエージャーから美しく、潔く熟していっている彼女たちはおフランスの女性たちのお手本です。往年の大女優のファニー・アルダンやカトリーヌ・ドヌーヴ、イザベル・アジャーニ、キャロル・ブーケにしても、60歳を超えてもまだまだ色気たっぷり。まさに熟成された極上のチーズやワインにしか出せないエレガンスをお持ちのそうそうたる熟女ばかりです。

もちろんご職業柄、手を加えられた方もいらっしゃいますが、「自分の年より若くみせたいとは思わないわ。アタシが生きてきた人生が刻まれたこの顔は立派な財産よ。整形で消すなんてもってのほか！」と複数の女優さんが同じことをおっしゃっています。

フランス映画は「若い二人が結ばれました。チャンチャン♪」という作品よりも、「二人のその後」にこそ人生の葛藤やドラマがあり、そこに映画化する価値を見出すのだと思います。今まで描かれることがなかった熟女たちの人生に、新たな題材をみつけたのでしょう。世間もますます熟女たちに関心を示しています。

白髪の女性が起用された下着広告

ＣＭや広告をみても、最近は白髪の女性を普通に目にするようになりました。60代の白髪交じりの女性が、段々になったお腹をあらわにブラジャーとショーツの姿で自然なポーズをとった下着ブランドの広告が話題になったのは記憶に新しいところです。

年齢を重ねた人、今までの「理想的な体型」ではない人や、ハンディキャップを持った人たちがどんどん採用されており、昨今の急速な広告業界のダイバーシティ化には目を見張るものがあります。西洋美術の歴史は、ツルツルの非のない完璧な美しさを求めた古典様式と、リアルでゴツゴツしたバロック様式が定期的に、交互に入れ替わってきました。美の価値観は時代とともに変化します。今まさにその過渡期にあるのかもしれません。

「熟女が売れる」時代になってきたのは最近のことですが、歴史上の実在人物にも（16世紀の国王アンリ2世と20歳年上の愛妾ディアンヌ・ド・ポワティエとの熱烈なロマンス）、文学などの架空の人物にしても（19世紀文学の金字塔スタンダールの『赤と黒』のレナール夫人）、フランスは昔から熟女の魅力には敏感でした。

熟年の女性が輝くためには、もちろん本人の努力もありますが、やはり周囲から立派な女として評価される環境は必要です。

またチーズのたとえになりますが（笑）、どんなに上質の牛乳でも、極上のチーズに熟成させるためには最適な温度や湿度といった環境が必要不可欠なのです。

女性同士の博愛精神sororité

フランスで生活を始めると、道端で突然知らない人と話をする機会がとても多いことに気がつくはずです。実は非常に寂しがり屋の私にとって、フランス生活で最も心地よいことの一つは、この「赤の他人との距離の近さ、壁の薄さ」です。ほぼ毎日のように、どこかで誰かと、ほんのちょっとの会話があるのです。例えば、お店に入った時も、商品に関する情報以外に、世間話や、個人的な体験談をしたり……。

突然道端で声をかけられることも日常茶飯事。道を聞かれたり、ナンパされたり（最近はめっきりご無沙汰ですが）というパターン以外に、女性に声をかけられることが圧倒的に多いのです。娘がまだ乳幼児だった頃は、外出すれば必ず年配の女性が「可愛いわねぇ〜！　いくつ？　あっという間に大きくなるわよ！」とか「失礼だけど、アナタはどこの国の出身？　この子のお父さんはフランス人なの？　まあきっと二人の良いとこ取りね！」などと突然親戚のおばちゃんのように声をかけてくるのです。子どもを育てた経験のある見ず知らずのご婦人たちの温かい励ましの言葉は、異国で子どもを産んで育てる私にとって精神的に大きな支えとなりました。

娘も手が離れてショッピングやお洒落を楽しむようになってからは、道行く女性たちにファッションを褒められる機会が増えました。街中で、突然女性が振り向いてきて「あなたのそのスカート、本当に素敵！　突然ごめんなさいね。でもひと言褒めずにはいられなかったのよ！」なんて声をかけてくれるのです。「そのブーツ素敵ね！　どこで買ったの？」「そのバッグ、私も欲しいわ。とってもお似合いね！」と、女性が突然道端で女性を褒めるのです。これには「なんて素敵なんだろう」と感動しました。ナンパのために褒めるのではなく、セールストークでもなく、「素敵だと思ったら褒める」のです。

私は7年ほどおフランス製のデザイナーのアクセサリーを売るセレクトショップで販売員をしていたのですが、この時にフランス語のありとあらゆる褒め言葉を覚えました（笑）。もちろん、セールストークという意味でも必要でしたが、私は自分で言うのもなんですが「バカ」がつくくらい正直者なので、商品を売るためのお世辞は苦手でした。でも、最初はお世辞のつもりでも女性は褒めれば褒めるほど、本当に輝いていくということを実感し、そして一見モデルのように美しい人ではなくても、不思議なもので人にはそれぞれ必ずその人にしかない「チャームポイント」というものがあって、それを見出して褒めるというテクニック（？）を身につけました。

この販売員時代に培った経験を生かして、今ではフランス語でいう「sororité＝女性同士の博愛精神」から、みず知らずの女性でも突然褒めます（笑）。特に試着室はこの「sororité」に溢れた空間。個々の試着室を出て、大きな鏡の前でチェックしている女性に、声をかけたりかけられたりします。「そのセーターの色、とってもお似合いだわ！」とか、ハッキリ「その色よりこっちね！」とか、「もう黒はやめたいのよね」「分かるわ！　この年になると明るい色を着ないとダメよ！」なんて会話になったりします。

どこの国の女性たちも、ファッション、若さや美しさに対して、男性とは比較にならないプレッシャーを感じているのは同じです。だからこそ、人種や国や言葉は違っても、同じ女性同士という結束心から、女性同士で褒め合って、一人でも多くの女性の自己肯定力をさらに強化し合っていければ世界は平和になると信じています（笑）。

魔法のセラム「自己肯定力」

年齢を重ねてもカッコいい女性というのは、皆さんご自分の「見せたい部分」「見せなくても良い部分」や「何が似合うか」「似合わないか」という分析が徹底しているように思います。

例えばメイド・イン・フランスの熟女代表、大統領夫人のブリジット・マクロンさんは、もうすぐ70歳になりますが、故カール・ラガーフェルド氏が「パリで一番美しい脚」と賛美したおみ足のみえる膝上丈のスカートを素敵に着こなしていらっしゃいます。

　実はフランスでも彼女がミニスカートをお召しになった時は「短すぎる」とバッシングされたこともありましたが、ルイ・ヴィトンのスーツをエレガントに着こなす彼女は、他国のファースト・レディと並んでもひときわ華やかなオーラを放っています。そして彼女の言動や振る舞いは、でしゃばることなく、かつ堂々としていてとても知的な方だなと尊敬しています。

　シワがあっても、体型が若い時と変わっても「崩れる」や「劣化」ではなく、あくまで「変化」として捉え、自分の体型や雰囲気に合ったファッションやメイクなどを楽しんで、魅力に変えてしまうブリジットさんのような女性たちがワンサカいらっしゃる。首のシワでさえ隠さずに、パリッとしたシャツの襟を立てて、ボリューミーなイヤリングで華やかさを加えて「色っぽい」と思わせてしまう。

　コンプレックスは誰にでもあるもので、「自分の二の腕は嫌い」と言い、いつもデコルテを広く開けた服と指輪やブレスレットなどで視線を他に持っていくコーディネートをしていた知人もいました。綺麗なオバサンたちは、綺麗に見せる達人です。

　それはおそらく自分の年齢をごまかすのではなく、魅力的な部分、納得がいかない部分をよく把握しつつ、「これが流行だから」とか「私の年齢にはこれが似合うから」とか「誰かの外見に近づこう」と、同じ服を着たり、同じヘアスタイルにしたり、他の人が作り上げた型におさまろうとするのではなく、自分のパーソナリティを表現することが上手なのです。

　自分と向き合って、鏡を見て「これが自分のベスト」と納得できる状態をキープしているのだと思うのですが、そこに辿り着くまではコンプレックスの長い葛藤を乗り越えなければいけません。そこで登場してくる救世主が「自己肯定力」なのではないかと思います。

フランスにいると、いわゆるモデルさんのような理想的とされる容姿ではなくても、堂々と好きなファッションで闊歩する女性たちと必ずすれ違います。

背筋をピッと伸ばして風をきりながら歩く彼女たちには、思わずはっとさせられるオーラがあります。そんな女性たちは、おそらく誰よりも自己肯定力が強いのでしょう。

自己肯定力というのは「自信」とは若干違うような気がします。「自信満々」というと、コンプレックスのない「うぬぼれ」に近いイメージですが、私にとっての自己肯定力は、コンプレックスや弱みを把握しながらも、それを否定したり、目をそらすのではなく、自分の一部として認める、改善できるならそのための努力は惜しまない、もしくはそれを魅力に変えていく力だと思います。

熟女を褒めるフランス人男性の存在

そして自己肯定力というのは、自分自身との正直な議論の果てに身についていく一方、完璧ではない自分のことを褒めてくれたり、励ましてくれる人たちの助けがあって身についてくるのではないかと思います。20年フランスに住んでいて思うことは、フランスの男性たちは目でも口でも女性を褒めるのが上手ですし、それをさらっと受け止めて肥やしにできる女性もまた多いと感心します。

私自身は謙遜が美徳の国で、しかも「自己肯定」などという言葉さえ存在しなかった昭和の時代に生まれたのでまだまだ修行中ですし、褒められてもどうしても「お世辞」としか思えないのですが、40歳の時にようやく「自己肯定へのファーストステップ」を踏みました。

我が家のお父ちゃん（パートナーをそう呼んでいる）は妊娠して30キロ太った私に、一度も「デブ」と言わず「君は綺麗だ」と毎日言ってくれていました。

その時は、小さい娘を育てるのに精一杯で、自分の容姿などどうでもよく、「自分はお母ちゃんだからもう綺麗になろうとしなくても良し」とお父ちゃんの愛情溢れる褒め言葉を聞き流してきました。

ところが40歳のバースデーの自分の写真をみて「あれ？　想像していた40代ってこれじゃない気がする。10歳老けてる！」と、突然現実が目にみえて焦ったのです。当時は、自分のベストな状態ではなかったため、体調も悪く、引きこもりがちでした。実はその時の自分の体が、「脱ぎ捨てたい着ぐるみ」であることにみてみないふりをして、コンプレックスを克服できない欲求不満が、少しずつ自分の内面も虫歯菌のように腐敗させて、「自分じゃない自分に甘んじていた」ことに気がつきました。

「自分を愛せない人間は人を愛せない」というフランス人がよく口にする言葉の通り、自分に対して不満がたまっていると、人のこともとやかく言いたくなるもので、一番身近な大切な人たちをも傷つけていくと思うのです。古代ローマの詩人の言った通り「健全な精神は健全な肉体に宿る」というのはまた真実だと思います。

フランス語で「Être bien dans sa peau（直訳で「自分の皮膚の中で良い状態にある」）」とは、自分のパーソナリティに満足して、生き生きとしている状態のことを言います。そんな風に、自分のパーソナリティに合った体や体調を取り戻したいと思いました。

「筒形の袋のような服や、ゴムのウエストの服ばかりでなく、まだまだお洒落をしたい」「どうせオバサンになるなら輝くオバサンになりたい」と、無理のない減量をしたら体調も改善され、フットワークも軽くなり、自分のしたいことができるようになりました。

鏡をみたくないと思うほど自分が嫌なら、どうにかしなければいけませんが、逆にぽっちゃりでも幸せで、体調が良く、「自分はこれでいい！」という自己肯定さえできれば、体重が何キロだって良いと私は思います。私は今でも女性誌に載っているダイエット前の体重に等しくなろうとも、食べることが生きる楽しみである自分にとって「このくらいが一番良いかな」という状態をみ極めたので、それをキープすることに専念しています。

私の場合、「これじゃあかん！」と気づいたのは自分自身でしたが、「デブだ！　痩せろ！」と毎日言われていたら、たぶん一念発起はしていないと思います。

自分を褒めて励ましてくれる人がいれば、やはりモチベーションも上がり、自己肯定力が芽生えてくるものだと実感しました。

先日、ベルギー出身のブノワ・プルヴォルドという個性派俳優さんの、こんな言葉を読んで、また勇気がわきましたし、「こんな風に女性をみてくれる男性がいるんだなあ」と感心しました。

「俺は『外に出て冒険したいから』ってくっついてくる20代の若い小娘とホテルで逢引きするようなバカ野郎にはならない。俺は経験ある女性たち、彼女たちの人生が刻まれた体が好きだ。そして、コンプレックスを抱く女性が好きだ。コンプレックスがあるということは、慎み・羞恥心があるということだから。俺が人生を分かち合った女性たちは、皆世界一美しいよ。ベルトラン・ブリエ監督の『タキシード』(1986年)の中で、ジェラール・ドパルデュー演じる主人公のセリフがあるだろう。『俺の目に映る君をみてみろ。君自身の美しさに感動するぜ』ってね。『完璧なんてものはつまらない』とプルーストも言うように『美人は想像力のない男たちに譲ってやろう』だよ」

彼もまた、年を重ねるごとに深みが出てきた輝くオジサンです。

内側から輝くための心のビタミン

自己肯定力は魔法のセラムであると書きましたが、内側からにじみ出るエネルギーを与えるビタミンも、輝くオバサンたちは常に摂取しています。自分を大切に熟成させていくためには、心にも栄養を与えてあげないといけないはず。どんなビタミンが必要かは人によりけりだと思いますが、まずは体の栄養を取るためには食欲が必要であるように、心の栄養を与えるためには「好奇心」が必要だと思うのです。

私が尊敬する輝くオバサンたちは、いろんな心の栄養を吸収できるように、常に好奇心を持っています。80歳を超える元夫の叔母もその一人。彼女の目は常にキラキラしています。小娘の私の話をいつも心から面白そうに聞いてくれ、私の手を握りながら笑ってくれます。彼女と話をしていると、まるで自分が特別な人間のように思えてしまうのです。

シンプルな大きく胸元が開いたVネックのセーターがよくお似合いで、銀髪のボブ、ボリューム感のある指輪、年季を感じさせるなんとも優雅な手指、その指先に細いタバコをくゆらせるシモーヌおばさん。彼女に会うと、趣味の乗馬の話や、最近みた劇や映画、読んで感動した本、み聞きして苛立ったことなどなど話題に尽きません。前回お会いした時は、和太鼓の公演をみて非常に感動したとのことで、和太鼓や日本の伝統芸能についていろいろ調べたことを私に熱っぽく語ってくれました。知的好奇心が旺盛なシモーヌといると、あっという間に時間が過ぎていきます。そんな彼女のポジティブなオーラに、私はおフランスの輝くオバサンの真髄をみい出し、憧れています。シモーヌおばさんを目指し、ありとあらゆる心の栄養素を貪欲に摂取できるように、常に好奇心旺盛なオバサンでありたいと思っています。

Et alors？　それが何か？

最近とてもショックだった出来事があります。50代の日本人女性のお客様（動画にも匿名で登場いただいたM様）をお迎えした時のこと。夏のパリで、ミニスカートやデコルテの開いたワンピース姿の同年代の女性たちをみて「日本でこんな露出をしたら、『ババアが色気づいて』と罵倒されますよ」と大変驚かれていたこと。それを聞いて私の方こそ驚愕しました。

私より一回り年上ですがスタイル抜群で、何を着ても似合いそうなのに、「なんてもったいない」と思い、「パリにいる間だけでも」と、私の大好きなセザンヌでショートパンツをお勧めしました。翌日セザンヌで揃えたショーパン・ルックでホテルのロビーに現れたM様は、とってもキラキラしていて「やっぱり女性ってこんなに変わるものか！」と惚れ惚れしました。

そういえば、しばらく帰国していないので忘れていましたが、フランス在住のママ友たちは「日本帰国用の服」を買い揃えて出発します。「日本で40になって、フランスの普段の恰好はできない」と口々に言うのです。私はいつも母親に「あんた、そんな恰好で、外に出るの？」といぶかし気な顔をされますが、日本用の服を買い揃える余裕もないので知らんぷりをしています（笑）。

服装の話からズレますが、先日友人たちと久しぶりに夜遊び（といっても単なるディナーですが）をしたところ、同じタパス・レストランに、生後4か月くらいの赤ちゃんを連れた女性が、女友達と一緒にワインを飲みながらお洒落に着飾っておしゃべりを楽しんでいるという場面に出くわし、アラフォー日本人女3人は「これは日本では絶対にないね！」と、思わず声を揃えて驚きました。

フランスでも、もちろん保守的な価値観は特に田舎に根強く残っているところもあるようですが、一般的に「母親だからこれはダメ」とか「お母さんになったらこういう服装はしない」「この年齢になったらこういう服装はダメ」という考えはありません。

あくまでも犯罪さえしなければ、どう生きようが、何を着ようが、それは個人の判断・自由です。自分が必要だと思うならするし、着た時に自分が綺麗だと感じる服、快適な服、気分が上がる服を着るのです。女性が、個人が自分なりの幸せを求めることに社会はダメ出しをしません。

もちろんとやかく言う人も中にはいますが、そんな時にはひと言。「Et alors（エアロ）？　だから？（それが何か？）」で良いのです。

有名なおフランスの化粧品メーカーのキャッチフレーズ「Parce que vous le valez bien.（あなたにはその価値があるから）」なんて言葉がありますが、「Parce que je me sens bien.（だって気分が良いから）」と言えば、誰も何も言い返せません。

パリでショーパン・ルックを楽しまれた美しいアラフィフのM様が「日本では『ババアが色気づいて』と罵倒される」と言われていたように、出産適齢期、婚期を過ぎた女性が露出度の高い服装をすると、「色気づいている」「男を誘惑するような年じゃないのに誘惑しようとする不届き者」とみなされるのは、日本だけではありませんし、文化も人種も宗教もバラエティに富んだフランスですから、違和感を覚える人はいます。

いい年の子どもがいるだろうと思われる年齢の女性は、家庭におさまり、「女」ではなく「母」として「男性の目を引くような装いをするな」という考えを持つ人もいます。

女性が母として家を守ることで、社会全体が「一番丸く収まる」ので、母親らしい行動や服装の方が、周囲の人たちは安心するのでしょう。

フランスでもそれに賛同する女性はもちろんいますが、一般的には、女性は結婚して出産して母親になっても女であり続けようとします。子育てで疲れて、華やかさに欠ける時期はもちろんフランスのお母さんにもあることですが、子どもから手が離れてくると、カムバックしてくる方はけっこういらっしゃいます。ちょうどこの時期に、新しい恋が始まるケースも多いと聞きます。

ベビーを預けて夫婦でデート

おフランスでは「夫婦だけの時間を大切にしなければいけない」とよく言われます。ですから、ベビーシッターを雇い、夫婦でたまにデートや旅行をすることが普通であり、周囲からも勧められます。

私は実の母には夫婦のデートについて何度も「アンナちゃん（娘の名前）、まだ小さいのに……」と言われ、一方でフランス人の義理母には、「少しは夫婦の時間を作りなさい！」と叱責されたものです。

それぞれの国の文化によって価値観、道徳観は違いますので、どちらが良い悪いと簡単には言えません。私自身はフランス的な考えを理解し賛同しても、娘が赤ちゃんの時は人に預けて旅行なんてできませんでした。若い友人にベビーシッターを頼んで、映画とディナーを何度かしたくらいです。娘はたまには両親から解放されるのが楽しいようでエンジョイしていましたが（笑）。

服装に関しても、人それぞれ、羞恥心にも差がありますので、「オバサンよ、ショーパンをはけ！」と革命を起こそうなどという気もまったくありません。

露出しなくても美しく、魅力的なオバサンだっています。色気なんてなくても、人間として輝かしいオーラを放つオバサンもたくさんいらっしゃいます。女性の魅力は色気だけではありません。

ただ、着たい服を着たら周囲から「イタい」と言われたり、「臭い物にふた」をするように怪訝な顔をされたり、「色気づいたババア」と揶揄されることなく、女性が自分のなりたい女性像に近づく自由があるべきだと、私は思います。各女性の羞恥心、センス、人柄で、それぞれの幸せを求めることができる、好きなように年齢を重ねることが許される環境にいることは、とても楽です。そんなおフランスだから私が憧れる「輝くオバサン＝オヴァサンヌ」がたくさんいらっしゃるのだと思います。個人が集団・社会のために自由や幸福を犠牲にするのではなく、個人の自由や幸福が集団の幸せにつながるという考えに、私は同調します。

何歳になっても恋愛はタブーではない

何歳になってもフェミニンな女性というのは「いつでも準備ができている」かのように見えます。「天災と恋はいつふりかかるか分からない」ので、いつ道端で転がっているかもしれない運命の出会いのために「備えあれば憂いなし」という印象です。

以前、あるゲイ友とカフェで人物ウォッチングをしていた時、「こっちのオバサンっていくつになっても戦闘態勢よね」と感心していたのが印象に残っています（笑）。

人生何があるか分かりません。明日、夫が去っていくかもしれないし、事故や病気でいなくなるかもしれません。

フランスでは、「転職」も当たり前なように「人生を再スタート」することもよくある話です。熟年離婚をして新しい人生、幸せを求めることに社会が嫌悪感を示すことはありません。「C'est la vie.（それが人生ってものさ）」です。

私の義理の母が、3児の母となって、ブラジャーもメイクもせず、いつもパジャマのような服で暮らしている義理の姉に口を酸っぱくして「旦那に逃げられても文句は言えない」「夫婦間にséduction（誘惑）がなくなったらおしまい」と説教していたのですが、とても印象に残っています。

私自身は、結婚は決してゴールではないという意識、いつお父ちゃんに逃げられるか分からないという覚悟は常にあるので、そうなった時に自分の中の「女」が埃をかぶって、錆（さび）だらけで、いくら油をさしても再起不能という状態まで放置していたら後が辛いと思っています。

その時の自分のベストな状態、自分を愛せる状態をキープできれば、必然的に夫婦仲もうまく保てると信じていますが、それでも「天災」が身にふりかからないとは限りません。そんな人生のアクシデントが起きた時に、すぐに再出発できるに越したことはないと思います。次に行く準備をしているわけでも、長年夫婦で築いてきた家庭を大切にしないわけでもなく、ぎくしゃくしたら解決のための努力をしないわけでもありません。今の幸せは安心しきっていたらいつ消えるか分からない、アクシデント発生率の高いおフランスでは「自分の奥さん（旦那さん）は魅力的すぎるから、うかうかしてると盗られるかもしれん！」という危機感は必要だと思うのです。

「天災と恋愛はいつふりかかるか分からない」という意識が頭の片隅にあると、「現在のパートナーとの間に緊張感を保ち、自分を好きでいられる努力を怠らない」という備えにもつながりますが、「いくつになっても人生は再スタートさせることができるのだ」という希望も持てます。パートナーのＤＶに苦しみ、離婚、シングルマザーで仕事を二つかけもちし、「人生のどん底」をたくましく、持ち前の明るさで生き延びてきた今年50歳になる友人が、つい最近、旅行中のＴＧＶの中で若くてイケメンの感じの良い男性に出会い、新しい人生をスタートさせたという嬉しいニュースが飛び込んできたところです。

「一時は娘のことだけを考えて残りの人生を生きていこうと思っていたけど、やっぱりこの年になっても恋をしたいという気持ちは捨てられなかった！」と語る彼女の笑顔に、熟女の希望の光を見出しました。

熟年夫婦の性生活

さて、この話題は日本の皆様には「あらいやだ、リョーコさんたら！」とショックを与えてしまうかもしれないのですが、「誰もこんなこと言う人いないかな？」と思ったので、思い切って言わせていただくのですが、おフランスでは夫婦の性生活は、一家に一台あって当然の家電くらい「必要不可欠なもの」です。そして、故障しないための努力を惜しみません。夫婦の性生活がうまくいっていないというのは、立派な離婚の理由になりますし、「すべての問題はそこから始まる」と言っても過言ではないようです。

フランスで産婦人科に検診に行くと、必ず「避妊法は？　どうしてる？　どうしたい？」とまず聞かれます。「え？　必要ないんですけど」などと答えようものなら鳩が豆鉄砲を食らったような顔をされるのです。夫婦のカウンセリング先を紹介された人もいるそうです。

「性生活が充分満たされているかどうか」で「満足できる人生かどうか」が決まるくらい重要な要素だというのは、明らかに日本にはない考えではないかと思います。

そして、性に関して日本よりオープンなのは誰も驚かないと思いますが、「熟年の性生活」もどんどんオープンになっているというのは、私も「さすが～」と唸らされます。

私はテレビで『おはよう、おフランス』みたいな朝の情報番組をみるのが大好きなのですが、国営放送の番組で、ＣＭが入ります。

寝起きに朝のコーヒーを飲んでいたら、熟年のカップルが笑顔で「これのおかげで人生がスムーズになりました」と、シーツの下でいちゃいちゃしている映像に、バラの花びらに雫が流れる……という映像が目に飛び込んできました。なんと、更年期を迎えた女性の性器を潤すジェルのCMだったのです。コーヒーを噴き出しそうになりました。

おフランスの輝くオバサンたちの秘密は、ここにもあるのかもしれません。

いざという時の「セクシーな下着」

災害の国日本ではいざという時のために非常食を常備しますが、恋愛の国おフランスでは、いざという時のためにフェミニンな下着を常備します(笑)。パリの町を歩いていると、驚くほど下着屋さんが多いことに気がつきます。パリだけでなく、地方の小さな町の商店街でも必ずと言って良いほど下着屋さんがあります。日本の女性の下着は、「色気より快適さや機能性重視」ですが、おフランスの下着は「色気第一」のものが多く、正直私は着け心地が悪くて苦手です。洋服がどんなにシンプルな人でも、「下着にはこだわる」という女性がけっこう多いのです。

バレンタインデーは、最近では日本の影響でチョコレートなども売れるようになってきたようですが、一昔前までは、バレンタインデーのプレゼントといえば花束、香水、セクシーな下着でした。稀に下着屋さんに行くと、オバサン世代の女性たちでもレース使いのなかなかセクシーな下着を手にレジに並んでいます。下着屋さんの販売員の方とお客さんたちの会話を聞くのも面白く、「こちらのブラジャーの方がデコルテが綺麗にみえますよ」とか「パートナーは派手な色が好きだけど、どの色が肌に合うかしら?」とか「今日のお洋服にもピッタリですよ」といったように下着も洋服感覚で、着ている時も脱いだ時も、自分を綺麗にみせるために欠かせないアイテムのようです。

洋服にさほどこだわりがなさそうなフランス人の友人の家にお邪魔して、洗濯物が干してあると、普段着ている洋服からは想像しがたい、色気たっぷりの下着にビックリしたことも何度もありました。人にみられることがなくても、セクシーな下着を身に着けて、女としての自信を肌にまとい、「いざという時に備えている」そんなフランス人女性たちに感心しつつ、私はユニクロがフランスで買える世の中になってくれたことに感謝しています(笑)。

「輝くオヴァァサンヌ」という生き方

先日、平均年齢45歳のフランス人ママ友との飲み会での場面。

美容院に行って、素敵なボブカットでさらに美しくなったママ友のアンヌをみて、「ソフィ・マルソーみたい!　カッコいい!」と私が正直なコメントをしたところ、

「あの人は50代になってからの方が魅力的ね」「目元のシワも素敵よね」という意見が。

「そういえば、モニカ・ベルッチも最近はシワが目立つようになったわね。あれだけ完璧な美人が年を重ねるって辛いでしょうね」

「でも私は、若い頃の完璧な美貌の彼女より、今の方が好きだわ。そして、堂々と整形もせずに年を感じさせる勇気に感服する」

「そうね、それに彼女の色気は変わらないわね」というオバサンたちの「熟女品評会」が始まりました(笑)。

お酒が入って饒舌(じょうぜつ)になり始めたママ友たちをみて、しめしめと、「そういえば今『熟女大国フランス』って題で何か書きたいんだけど、皆は年を取ることにどんな気持ち?」と質問を投げかけてみました。

「若い頃は心の余裕も教養もお金も安定もなかった。今よりあったのはコラーゲンとコンプレックスね」

「皮肉なものね、今の自信と20代の頃のスタイルと体力があったら怖いものなしだったのに(笑)」

「若い頃は人の目を気にしていたけど、今はそれがなくなった。自分は自分と思える。なんて楽なのかしら!」

「家庭を持って、仕事をして、いろんな意味で強くなったわね。自信がついてきた」

「いろいろと人生経験を積んで苦い経験もしてくると、その分人の痛みも分かるようになるでしょう？　人を助けたり、人の役に立てるってことは、年を重ねるメリットの一つよね」

「若い頃は、ジャンクフードのようなものが好きだったけど、年を取ると体にも心にも無駄なもの、必要なものが分かってくる」

「ようやく自分のことが分かり始めて、『さあこれからだ！』って感じね」

「でも自信を持つには、本当に時間がかかる。いつになったら自信満々になれるのかしら？」

「70歳になったら皆でビヨンセをガンガンにかけながらモデル歩きしましょう」

「娘たちのあきれる姿が目に浮かぶわね」

　一同笑う……。

　そして「総合的にみて20代の頃の自分より、今の自分が好き」という点では、全員が同じ意見でした。娘を持つ母親として、娘が「オバサンになっても良いかも」って思ってくれたらこれほど嬉しいことはない、ということも。

　娘たちの習い事の待ち時間に、スピリッツを飲んでほろ酔いの（私は一人でシロップ水ですが……）ママ友たちとの座談会は「一緒に娘たちの成長をみつめながら楽しく年を取りましょうね！」と締めくくった、楽しく元気になれる時間でした。

　そして改めて、年齢とともに刻まれたシワは自分が生きてきた人生の勲章であり、勝ち取ってきた自己肯定力は「ふてぶてしさ」ではなく、これからも立ち向かっていかなければいけない人生を歩み続けるために必要な「強さ」だと確信しました。

私自身は、「若くみえたい」とは思いませんが、「老けみえしたい」とも思わないというのが現状です。そして、できるだけ長い間好きなジーンズをはきたいです（笑）。「老いへの恐怖」がないわけではないのです。矛盾に聞こえるかもしれませんが、それはそれで良いと思っています。きっとその矛盾が醸し出す魅力、今のこの年齢にしかない魅力もあるはずです。しいて言うならば「輝くおフランスのオバサン＝オヴァサンヌ」を目指したいと思っています。

日本人女性は海外でモテる？

さて、ここで話は変わりますが、皆さんからよく聞かれることの一つに「日本人女性はモテるのか？」があります。

フランスではクリスマスになると必ず放送される『ラブ・アクチュアリー』という、イギリスのラブコメ映画をご存じでしょうか？　さまざまな登場人物が交差して恋愛劇を繰り広げる（大好きなヒュー・グラントが英国首相役）アンサンブル・キャストのクリスマス・ムービーですが、その中に本国イギリスではうだつが上がらず「アメリカに行けばハーレムだ！」とリュック一つで大西洋を渡る青年が登場します。彼の友人は「そんなおとぎ話みたいなことがあるものか」とあきれますが、実際にアメリカの地を踏み、イギリス訛りの英語を話した途端、美女たちに囲まれるという場面があります。

もちろんこれは映画ですので脚色はしていますが、実際に私も「日本では一生恋人なんてできないだろう」と思っていた大学3年生の夏、パリに短期留学した際、毎日学生寮で声をかけられました。日本では、大学の友人たちが楽しそうに合コンの話に盛り上がる様子を横でみているだけでしたので、まさに狐につままれた気分でした。なので、あながちあの映画も大袈裟ではないかもしれません。

「日本女性は海外でモテるという噂は本当だったか?!」と最初は浮かれたものです。なにせ幼い頃から「デブ！　ブス！」「女らしくない」「可愛げがない」「気が強すぎる」「お母さんみたい」と言われ続けてきましたので、女としての人生が待っているとは思っていませんでした（笑）。厳密に言って「モテた」のかどうかは別として、日本よりも男性たちの注意を引くことができるというのは本当だと思いました。

東洋の女性にまとわりつく性的イメージ

世界中の男性たちが妄想する日本人女性のイメージは、未だに「ゲイシャガール」です。奥ゆかしく、男性を立ててくれ、男性の喜びのために尽くし、黙ってお酒をつぎ、黙って床に入る……。そんな妄想は未だに「サムライ」と同じように日本人にまとわりつくイメージの一つなのです。私がお父ちゃんと出会った国立の映画学校の学生たちによって制作されたSF映画に、チョイ役で出演した際は「スペース・ゲイシャ」という役名のアジア人の娼婦役でした(笑)。ただ宇宙船に乗っているだけのエキストラみたいなものでしたが。

アジア人にオファーが来るオーディションといえば「ゲイシャ」という名の娼婦かマッサージ嬢。確かに昔から海外の映画に登場する日本人女性は、無口でミステリアスでエキゾチックで男性に従順で、簡単に床に入ります。これは実際にフランス人男性たちから聞いた話ですが、フランスで大人気のアラーキーさんの作品や、日本のアダルト・ビデオに登場する「男性の言いなり」「男性の欲望を満たす玩具」「あらゆる要求に応えてくれる」的な日本人女性のイメージは、海外の男性たちの妄想を膨らませているそうです。証言をしてくれた友人たちは「俺の聞いた話によるとだけどな」と言っていましたが(笑)。

こちらに来てビックリしたのは、この日本人女性や他のアジア人女性(そもそも日本人と他国の女性の区別がつけられません)に対する性的なイメージの強さです。なぜかアジア人=娼婦またはマッサージ嬢で、道で値段を聞かれたことも何度もあります。実際にパリにはところどころでアジア人の娼婦の女性たちがお仕事をする縄張りがありますが、近辺を歩いていた時に声をかけられたり、上から下までジロジロ見られることがありました。「まあリョーコさんならあり得る」と納得される方もいらっしゃるかもしれませんが、どこからどう見ても汚れのなさそうな友人も経験しています。

この「アジア人女性＝séductrice（男性を見ればすぐに誘惑する）」「男性に快楽を与える秘訣を持っている」というイメージは「イタリア男＝ナンパ男」と同じくらい定着しているかもしれません。女性もそう思っていたりするので、よく「アタシの男に手を出すんじゃないわよ」という視線を感じたり、あからさまに私から彼氏を遠ざけようとされたこともしばしばあります。このアジア人女性への妄想・偏見は本当に迷惑ですが、私たち日本人女性が「モテている」と勘違いしがちな、男性の注意を引きつける理由の一つだと思います。

日本人女性は従順で落としやすい?!

「日本人女性は、自己主張をせず、従順で、男性を立てて、いつも笑みを浮かべ、『ノー』と言わず、白人男性に弱い」。こんな日本人女性のイメージも、男性たちが声をかけてくる理由でしょう。自己主張の英才教育を受け、特に男女平等に敏感なおフランスの強い女性たちに囲まれたフランス人男性からすれば、確かにこんな女性に惹かれるのも分かる気がします。私自身フランスにだいぶ適応したつもりでも、言い寄られたりするとフランスの女性たちのようにバシッとひと言「興味ないから!」と言えず、笑みを浮かべながら丁重にお断りしようとしてしまいます。

お互いに無駄な時間を費やさないために、最初からハッキリ断るフランス人女性は正しいと思うのですが、どうも未だにそれが苦手で、「相手を傷つけないように」、という気持ちと、ハッキリ断って嫌がらせをされたり、罵倒(ばとう)の言葉を浴びせられたくないという臆病な気持ちと半々です。

こういう押しに弱いという弱点につけ込む、日本人の性質をよく理解した「大和撫子ハンター」がフランス中にゴロゴロおります。そして、私たち日本人女性は、殿様のように偉そうで、口下手な男性たちに慣れて育ってきましたので、レディファーストで、口達者な西洋の男性の口説き文句になびきやすいという決定的な弱点があります。

特にフランス男の口の上手いこと! 議論・討論はおフランスの国民的スポーツです。相手を言いくるめる・謝らない天才です。女性を口説き落とすことも、自尊心をさらに膨らませるために、彼らに必要な栄養分。私たち日本人女性は、「口説かれる」ことに慣れていませんので、最初はその気がなくてもロマンチックに感じてしまい、ついつい誘いに乗ってしまうのではないかと思います。どんなにみかけがイマイチでも、言葉の威力、そして自信満々の態度というのは男性を魅力的にみせます。

もちろん、「ナンパされたい」「口説かれたい」「フランス人男性とお付き合いしたい」という気持ちなら良いのですが、口説き文句が上手なフランス男には、言葉と行動にギャップがある場合が多いので、すぐに「運命の人だわ！」と本気にならないことをお勧めいたします。私は口達者な男性は国籍や人種を問わず用心し、しばらくは疑いの目でみるようにしています（笑）。

黒く艶があるワンレンは大人気

「外国でモテたければ髪を黒に戻せ」と言われるほど、ツヤツヤの黒いワンレンの女性は、海外ではもてはやされます。今でもよく覚えていますが、初めてフランスに留学した際に、同じ学生寮にいた日本人の女子大生が「これは最強の武器」と、かぐや姫のような黒髪を一生懸命ケアしてなびかせていましたが、確かに彼女の周りには常に男性がいました。彼氏探しに身を入れていたからかもしれませんが、「へー！　本当なんだなあ」と感心したものです。これもまた珍しいもの、エキゾチックなものに惹かれるという心理なのかなと思います。

笑顔は最強兵器

日本の女性は表情が柔らかく、穏やかな顔つきだと思います。最近は他のアジア人の女性も、服装では判断しにくくなりましたが、表情で「日本人だな」と分かるのです。どこかあどけない、ピュアな顔つきで、険しさがなく、優しそうにみえます。アジア通の友人も同じことを言っていました。厳しいフランスの女性たちに囲まれていると、ついつい男性たちはホロッと優しい表情に惹かれるのではないかと思います。

さて、ザッと私なりの解釈で日本女性が海外で「モテる」「男性たちの注意を引く」理由を探ってみました。もちろん、私の経験やみ聞きしたことから解釈したことなので、フランス人の誠実な旦那さんをお持ちの皆様（私もですけど）、どうぞお気を悪くされませんよう……。

私の友人で、道端で「モテる」だけではなく、真剣に男性からも女性からもモテモテだった日本人女性がいます。人生で、あんなに人から好かれる人を、私は今まで見たことがありません。彼女は20年以上前、私がパリに移住するきっかけを作ってくれた人です。日本の良家のプリセンスで、日本では絶対に友達になっていなかったと思う人です。

身体的な特徴は、私よりも背が高く、太ってても痩せてもいない、スポ根の健康的な体つきで、黒髪ですがロングではなく、清潔感が滲（にじ）み出た容姿でした。声が日本人女性とは思えない低さで、電話だと男性かと間違えられることも（笑）。いつも笑顔ですが、媚びるところがまったくなく、裕福だけれども、それを誇示しようとしない品格の持ち主でした。サッパリしていて、おっちょこちょいな一面も愛らしく、それがチャームポイントでもあります。色気ムンムンではない彼女ですが、どんなフランス人男性も夢中にさせていました。彼女にはどこか「手に入らなそうなオーラ」があったからだと思います。

そして、優しくて気遣いができるけど、ハッキリものを言う、しっかり自分を持った人です。フランス人男性が本気になる女性は知的な女性です。どんなに美しくても、「話ができない」女性は遊び相手で終わります。かといって、ペラペラしゃべれば良いわけでもないのです。おフランスでもしゃべりすぎ、出しゃばりはいけません。その場の空気が読めて、知的でユーモアがある女性はどこの国でもモテます。

でも彼女の最大の魅力は「目をちゃんとみて人の話を真剣に聞く」ことだと思います。彼女に話を聞いてもらっていると、自分がなんだか凄く重要で特別な人間に思えてくるのです。これは彼女の最大の魅力だと思います。私のくだらない悩みも、まるで生きるか死ぬかの問題であるかのような真剣さで聞いてくれ、くだらない喜びも、まるで私がノーベル賞でも受賞したかのように喜んでくれる、そんな人でした。

まあ女性としてというよりも、人間として魅力があるということです。このフランスでも引く手あまただった友人は、日本でイケメンの年下の旦那さんと二人のお子さんと幸せに暮らしています。

恋愛大国のナンパ体験あれこれ

というわけで、私がパリの地を踏んで突然男性から声をかけられるようになって「ついに私もモテた」なんて浮かれてみたものの、「モテた」のではなく、「落としやすい獲物」にみられていただけだと気づいたわけです。人生で男性にチヤホヤされた経験がなかったので、危うく勘違いするところでした。

パリ生活を始めて間もない頃は、パリという町に、パリジャンたちに圧倒されて、夢み心地でポケ〜っと歩いていたと思います。きっと表情も穏やかで純真無垢だったに違いありません（笑）。つまり、スキだらけだったのです。今は日本に帰ると、道ゆく人々の歩き方が平和だな〜と感じます。お父ちゃん曰く、「走る車も穏やかだ」そうです。

実はこのスキだらけな無防備な歩き方と、穏やかな表情が、ナンパ男とスリを引きつけていたのではないかと思います。

パリ生活を始めて2年くらいは、いろいろと怖い目に遭い、だんだんジャングルで生きていく強さを身につけ、「近寄ってきたら踏みツブす！」という心意気になってからというもの不思議とスリとナンパ男に狙われなくなりました。

この用心深さと可愛げのなさは、眉間のシワと歩き方に表れます。今の私は町を一人で歩く時は戦闘態勢です。大股で、ドッスンドッスン早歩きしながら、うつむき加減でもきちんと前方を視界に入れます。道端に散乱する犬の糞を踏まないために地面を視界に入れつつ、街灯にぶつかったり、車や自転車に轢かれないために、前方も上目遣いでみていなければいけません。それだけではなく、怪しい人物がいないか同時に確認しながら歩いています。

パリの街歩きでは犬の糞、街灯、乱暴な運転の車や自転車、電動キックボード、スリ、ナンパ男、アルコールや麻薬で酩酊状態のちょっと近寄りたくない人、などに注意しなければいけません。背筋を伸ばしてまっすぐ前を向いて歩いていると、犬の糞を踏みますし、怪しい人がいる場合に視線が合ってしまう可能性が高いのです。下向き加減で前方を上目遣いでみながら歩いていれば、さりげなく目を合わせずに歩道を変えることができます。

突然視線をそらすと、その相手の注意を引き、「ムガーッ」とこちらに向かってくる可能性があります。こんなことを聞くと、恐ろしくてパリの街を歩けないと思ってしまうかもしれませんが、私は特に、旅行者の皆様が決して足を踏み入れてはいけない危険地帯、パリの北東部に住んでいたので、このようなサバイバル術を身につけた次第です。

それから、早歩きをしていると、ナンパ男もスリも近寄ってこないのは、早すぎてキャッチするスキがないので、獲物にならないからです。そして声をかけられても「急いでいるから」とそのまま足を止めずに早歩きすれば良いのです。早歩きをしているということは「何かすることがある」つまり旅行者ではなくフランス語もできて、勝手が分かっているというオーラを発しているので狙われにくいのかもしれません。

旅行者の皆さんは一目で旅行者と分かりますので、恰好の獲物です。「貴重品はしっかり隠し持つ」「ブランド品を持って街歩きする場合は、さらに狙われる」「現金は持ち歩かない」ということを意識しておきましょう。たくさんお金がある方は、パリの街を知り尽くした政府公認ガイドを、ボディガードに雇うことをお勧めいたします（笑）。

スリは太古の昔からパリに生息します。パリの空気が乾燥しているのと同じように、「パリにはスリがいて当然だ」と思って、乾燥対策に保湿用のクリームを持ち歩くように、極端に怖がることなく冷静にスリ対策をして、用心していればほとんどの方が無事に帰国されます。

さて話が少しそれましたが、道端のナンパ（とその他の危険）はこのように対策をとることができましたが、いったん足を止めれば、カフェ、レストラン、スーパー、DIYのお店、美術館、映画館、公園、バス停、メトロなどさまざまな場所で、高校生から70歳くらいまでのムッシュたちに声をかけられました。

もちろん「日本人ですか？　僕は日本が大好きです」と近づいてくるパターンはありますが、主流ではありません。突然、単刀直入に「あなたの魅力に惹きつけられました。お茶でもいかがでしょう?」が一番多く、映画やドラマで見たことのある「あちらのお客様からです」と飲み物をオファーされることも実際にあります（ちなみに今の時代、飲み物に睡眠薬などを投入され襲われる事件が多発しているので、これは必ず断らないといけません）。

一時期日本人街（日本食品店や和食レストランが多いオペラ座界隈）に出没していた「大和撫子ハンター」は、わざと落とし物をして、拾ってくれた女性をお茶に誘うという手口でした。私も二度ほど遭遇しましたが、「結婚しています」と言った瞬間に顔が真っ青になり、走るように逃げていきました（笑）。

あと多いのは知り合いのふりをされることです。「あれ？　ヨーコじゃないか！　久しぶり！」なんて言われるのです。「ヨーコ」はオノ・ヨーコさんのおかげで知名度の高い日本女性の名前なのですが、リョーコに似ているので、「あれ？　本当にどこかで会ったのかな？」と困惑することがありました。

カフェで読んでいた本について話しかけてきたり、美術館で絵をみていたら突然絵の前に現れて、ビックリして悲鳴を上げると「やっぱり！　後ろ姿で分かった！　なんて美しいんだ！　お茶でもしよう！」と言われたこともありました。ビックリした私の顔は決して美しくなかったでしょうに。とにかくあの手この手を使ってくる変わり者の、物好きが多いのです。

私は若い時に結婚したこともあって（花のバツイチ、再婚です）、「結婚しています」と指輪をみせれば大丈夫だと思っていたら、「僕もしてるさ」と悪びれずに、逆に都合が良いと言わんばかりの人もいました。「満足していますので」と言っても「じゃあその秘訣を教えてくれ」と、なかなか引き下がりません。

私はフランスでは既婚者である時期がほとんどなので「結婚している」の一言でほとんどの場合は逃れてきました。すぐには引き下がらなくても、夫がいるから強引なことはできないと相手も分かっていますので、危険な目には遭わずにすんでいます。

しかしながら、遠い異国の地で寂しい思いをしている日本人女性の弱味につけ込んでくる男はゴロゴロいますので、パリ暮らしを始める若い女性たちには注意を喚起したいものです。パリ、フランスでの生活で孤独感を抱いていたり、「早く友達をたくさん作りたい」とか、「語学力を上達させたい」という気持ちや、「日本に興味がある人と文化交流をはかりたい」という気持ちから、普通なら用心するのに、ついつい無防備になってしまう女性も実は多いのです。

国際交流や語学習得のための友達を作りたい、という気持ちや寂しさから、ホイホイ誘いに乗って密室についていくのだけは避けたいものです。

けれども道端のナンパがきっかけで、結婚して幸せな家庭を築いた人だっているわけですから、言い寄ってくる男性が全員猛獣だとは申しません。ナンパがなければロマンスも生まれませんし、口説かれるのも良い経験だと思います。

私の場合は幼い頃から「女じゃない」「可愛くない」「デブでブス」「気が強い」と言われてきて、自分でもそうだと思い込むようになっていたので、下心丸出しのお世辞でも「女性として魅力があるかも?」と思わせてくれたおフランスのナンパ男たちには感謝しています。

フランスの女性たちが自信たっぷりなのは、常に男性に褒められているからだと思います。「豚もおだてれば木に登る」と言いますが、女性もおだてられれば、さらに美しくなろうと努力すると思うのです。「君には美人なんてありふれたお世辞じゃ足りない。それ以上に、魅力があるんだ……」なんて言われたら、嬉しいに決まっています。「ふん、キザなこと言うわね! じゃあ期待に応えてあげようじゃないの!」となるわけです。

最近ではフランスでも出会い系のアプリが普及していて、「フランス男たるものが、リアルなナンパをする度胸がなくなってきた」と聞き、ちょっと寂しいなとも思うくらいです。コロナの影響で、さらにこの傾向に拍車がかかったようで、今の若い人はカフェやバーで突然ナンパはしなくなったとか。

コロナがもたらしたナンパ大国、恋愛大国へのもう一つの影響が「マスク」だそうです。フランス人はもともとマスクが大嫌いですが、コロナが蔓延して、意外ときちんとマスクを着用している姿には、「やればできるじゃん、フランス人!」とみ直したものです。しかし「マスク着用義務のせいで、世界に名だたる恋愛大国、我がフランスでナンパができなくなっています!」というニュースをみた時には、椅子から転げ落ちそうになりましたが、「あ、まだまだ健在かも」とどこかホッとしました。危ないナンパはスリと同じくらい気をつけなければいけませんが、キザなフランス人男性の口説きテクは健在であってほしいものです。

おフランスの結婚と離婚

私がフランス人の夫と結婚をしたのは、娘が2歳になる直前で、「結婚→同棲→出産」ではなく、「同棲→出産→結婚」という順番でした。

日本ではあまりないと思いますが、フランスではいたって普通のことです。同棲して、子どもを持つ家庭のうち、結婚しているカップルはなんと半数以下の45％！　それ以外のカップルは、子どもを作っても結婚せず、union libre（自由な関係）や、concubinage（同棲）、PACS（パックス）（民事連帯契約という日本語訳が覚えられない制度）の関係にあります。

PACSをザクッとご説明すると、法律婚が許されていなかった同性愛のカップルにも、法律婚のカップルと同等の権利を与えて、法的にカップルであることを認める制度として1999年に制定されたものです。同性愛者の法律婚は、カトリック信者の多い保守派のフランス人からの猛反対で、

2013年まで認められていませんでした。

「結婚ほどかしこまっていないけど、結婚とほぼ同じ」制度ということで、例えばパートナーの社会保険によって保障されたり、家族手当も法律婚のカップルと同じ条件で受給することができます。相続権に関しても、遺言さえ残せば同じです。普段の生活では法律婚と大差はありません。大きな違いといえば、PACSは簡単に締結・解消できるということ、そして法律婚は、死別したパートナーの年金を受給することができるということです。

PACSの場合は、亡くなったパートナーの年金はお国に吸い取られてしまいます……。この制度は、ふたを開けてみると、同性愛者カップルよりも異性カップルの間に広まっていき、なんと今では法律婚と半々！

私も最初はお父ちゃんに「PACSしようぜ」とプロポーズされました。安くて美味しいインド料理のレストランを出た後、いつものように食べすぎて「苦し～！」と唸っている時に(笑)。その時は即答で「なんやねん。PACSって?」と断りました。

もちろんすでに同棲していましたが、この「結婚じゃないけど結婚みたい」という契約の意味が分からなかったのです。

しかし、すでに滞在許可証は前の結婚で取得済みで、そんな日本語にすると長ったらしいよく分からない契約を結ぶことに興味はありませんでしたし、親に説明したところで通じないと思ったのです。

お父ちゃんからすれば「これからも真剣にカップルとして一緒に生活していきたい」という誠意の表明で、清水の舞台を飛び降りる気持ちで申し出てきたのだと思いますが……。「ケジメつけるんやったら結婚やろっ！　あかんたれ！」（なぜか関西弁ですが、フランス語の口調がこんな感じでしたので）と突き返しました。特に結婚したかったわけではないのですが、「この中途半端な制度」がどうも腑に落ちなかったのです。

その数か月後のある朝、「子ども作ろか」「そしよか」という二言を交わし、その1か月半後に妊娠が発覚しました。

私たちにとって、子どもを一緒に作ろうというのは、結婚のプロポーズ以上にハッキリした、具体的な「契り」であって、結婚やらＰＡＣＳは法的な手続きにすぎませんでした。慣習通りにまずは婚約、結婚、同棲、出産、よりも、私にとっては理にかなった順番でした。

もちろん、まずは結婚して子どもを守れる環境を整えてから出産の方が用心深いとは思います。現に妊娠中にパートナーを亡くしてしまった友人もいますが、フランスの手厚い社会保障と、持ち前のバイタリティでシングルマザーとして立派に働きながら女の子を育て、今はもう二人の女の子のお母さんです（ちなみに今のパートナーとは結婚していません）。こんな風に、私の周りには結婚をしないまま子どもを育てるカップルが大半を占めます。

お互い信頼関係も経済力もあれば、特に問題はないのですが、私たちはやはり私が外国籍であるということと、子どもができた以上、どちらかの身に何かが起きた場合を考えて、結婚なりPACSなりをしておいた方が良いということになりました。そこでPACSでなく「結婚」になったのは、「どうせ権利が同等なら結婚でいいじゃん！　大は小をかねるって言うし。何よりも日本人（親や親族）に分かりやすいから」という理由でした。

「結婚アレルギー」だったお父ちゃんも、「万が一戦争にでもなったり、極右の大統領にでもなったら結婚しておいた方が安心」という理由で承諾しました（笑）。

フランス女性の平均結婚年齢は37歳

このように、私たちのようにまずは子どもを作るか、PACSをしておいて、最後に結婚というパターンはとても多いのです。女性はある程度キャリアを築いてから出産をするようになったので、出産も結婚も年々遅くなっています。なんとフランスの平均結婚年齢は女性が37歳です（INSEE＝国立統計経済研究所による）。

フランスの若い異性同士のカップルがまずPACSを好むのは、締結・解消しやすいので、「お試し期間」で同棲をするにはちょうど良いという理由と、何よりも「結婚」という言葉の持つ古臭く、保守的なイメージに対する嫌悪感が理由だと思います。「お試し期間」もだいぶ経って、ある程度の年齢になって、子どもも生まれて、「年金」という言葉が遠くに見え隠れするようになったら、ようやく腹をくくって結婚に踏み出すカップルも多いので、結婚の年齢がだいぶ高いのでしょう。最後の最後まで、「もっと良い人が現れるかもしれないし」という期待がどこかにあるのかもしれません。

「結婚」といえば教会のバージンロードを歩いて、神の前で愛を誓い、盛大な披露宴、という流れを想像するかもしれませんが、教会で式を挙げるカップルは、28万件のうち9万件のみ。おフランスの新郎新婦は、皆さん市役所で、市長さんの前で「共和国市民として、お互いに責任を持って家族を築くこと」を誓います。これがメインです。市役所にはウエディングドレスで登場するカップルもいれば、ジーンズのカップルもいます。指輪の交換も市役所で行います。我が家のように指輪を買うお金がなくて交換していないカップルだっています(笑)。

ちなみに私は2回とも気恥ずかしかったので、ウエディングドレスは着ていません。40歳を過ぎて「あ～、おばあちゃんになった時に、若い時のドレス姿を孫に見せたいかも」と後悔しているので、お父ちゃんとの結婚10周年で着るか、もし億万長者にプロポーズされたら3回目の結婚式で着ようと思います。

もちろん結婚は人生の大イベントであることには変わりませんので、大々的にお祝いするカップルも、その日を夢みて「ウエディング貯金」をする女性もいます。おフランスの新郎新婦が、皆私たちのように冷めているわけではありません。

5月、6月になると、街中でおかしな仮装をした若い女性（もしくは男性）のグループとすれ違うことがありますが、これは欧米の国々ではポピュラーな「バチェラー・パーティ」というもので、フランスでは「enterrement de la vie de garçon（fille）＝独身男性（女性）としての人生を葬る会」と言います。アメリカ映画などでよく見る光景ですが、結婚式の前日に、男性は男友達とバーで飲み明かし、ストリップ・ショーを見に行ったり、女性たちは林家パー子さんみたいな恰好で街を練り歩き、バーで飲み明かしたり、女友達とショッピングやお泊まり会をするのが通例だそうです。もちろん我が家はこれもパスしました。

教会や市役所で式を挙げ、カクテルパーティ（この時だけ招待される場合も）→ディナー→夜中までダンスパーティ、というパターンが定番です。

この大イベントのオーガナイズに1〜2年かけるカップルもいます。私たちにはそんなお金もエネルギーもありませんでしたので、サクッとパリの区役所で、もうすぐ2歳の娘を抱きながら式を済ませ、近い友人たちとお父ちゃんの家族の一部のみ招待して、YouTube動画にも登場した大阪出身イケメンあんちゃんのお店でランチをしただけです。招待客の数は、このレストランの席数で決めました（笑）。

もっとシンプルに、新郎新婦の証人（新郎新婦それぞれ2名）と区役所でサインをして、カフェで一杯飲んで終わり、というカップルもたくさんいます。最初は私たちもその予定でしたが、「結婚する」とお父ちゃんが実のお母さんに告げたところ、「式に呼んでくれないと死んでも死にきれない」と言われたので、仕方なくオーガナイズした次第でした。お父ちゃんの両親は、彼が4歳の時に泥沼離婚をしていますので、それがお父ちゃんの「結婚アレルギー」の要因の一つとなっていたのです。同世代のフランス人には、同じトラウマを抱えて結婚をしたがらない人もいます。フランスは1968年の五月革命以降、女性解放運動によって女性の社会進出が進み、女性たちが経済的に自立し始めたので、ちょうど私たちの親の世代くらいから離婚が増えました。現在では約50%の結婚が離婚というかたちで幕を閉じるそうです。

離婚理由からみえてくるフランス

フランスの離婚についての統計から、フランス社会の現状がみえて、なかなか興味深いなと思いました。まず地域差というのがあって、離婚率が高いのは都会や高所得層が多い地方。やはりパリがトップ、それに続いてマルセイユ、ニース、モンペリエやリールだそうです。大都市での離婚率の高さは、やはり女性の就業率の高さにも比例しているようです。

そして、75％の離婚が、女性からの申し出だそうです！　ＩＮＳＥＥ（国立統計経済研究所）によると、25歳から49歳までの女性の80％が、そして離婚を申し出た女性の70％が仕事を持っています。今のフランスの女性たちは、夫に頼っていく必要がないということです。

離婚の理由の３分の１以上がパートナーの浮気。「フランスでは浮気が普通」といったイメージが世界中に蔓延していますが、離婚の原因のトップに挙げられるということは、さすがにおフランスでも「浮気は文化」でも、当たり前のこととして許されるものではない、ということです。

２番目は、「協調性がない、パートナーが自分勝手」で、離婚の原因の20％に及びます。やはり充分なコミュニケーションと、相手の理解、時には妥協も必要ということでしょう。私も肝に銘じておきたいと思います。

３番目の「波長が合わない。基本的なことで意見が合わない（子どもの教育、日常のルーティン、相手の嫉妬など）」という理由が15％。この中に「家事や育児にまったく参加しない」「相手の衛生観念に我慢できない」という理由もあるそうです。これはお父ちゃんに伝えて、「私もいつか爆発するかもしれないからね」と脅かしておこうと思います。

４番目の「金銭問題（お金の使い方、収入の格差、借金など）と仕事（過労、失業、不安定さなど）」は全体の10％。「金の切れ目が縁の切れ目」というのは、どこの世界も同じ……。私も浪費家なので気をつけなければいけません！

5番目は「うざい義理の家族やパートナーの友人たち」。これも全世界で共通の理由でしょう。フランスの毒姑も、かなり手ごわいようですから……。幸い我が家は、お父ちゃんが「俺の家族は妻と娘」といって私たちを最優先に考えてくれていますし、義理の家族もあまり介入してきません。裕福なお家になればなるほど、この義理の家族の介入問題は深刻化していくので、私の両親も義理の両親も「あげるお金はないが自由にやってくれ」という人たちなので楽は楽です。「遺産はいらないので、借金だけは残さないでね」とお願いしています。

6番目は「依存症（アルコール、麻薬、ギャンブルなど）」。これは他の離婚原因が発端となる場合もあるのではないかと思います。コミュニケーション不足→うつ病→アルコール依存、というパターンに陥るカップルも何組もいます……。

こうして見ると、理由はどこの世界も似たようなものなのかもしれないなと思いました。私はバツイチですが、理由はあえて言うなら3番目でしょうか……。元の夫とは今でも頻繁に会っていますし、定期的に我が家にごはんを食べに来る仲です。

別れる理由は何であれ、平和に「お互い別の道を歩んでいこう」と協議離婚をする夫婦が半数以上です。フランスでは協議離婚に限って、裁判所で離婚手続きを行う義務がなくなりましたので、離婚のハードルが低くなりました。

最近では「コロナ離婚」も話題で、私の周りでも「confinement コンフィヌマン＝ロックダウン」

でパートナーに嫌気がさし、別れたカップルも数人いますが、逆に（我が家もですが）絆が深まったカップルもいます。

何でもありな家族の形態

フランスでは結婚したカップルの半数が離婚しますので、シングルマザー&ファザーももちろんゴロゴロいます。そして「famille recomposée = 複合家族」我が子と、新しいパートナーと、その連れ子も、みんな一緒に住むという家族のかたちもごく普通です。「人類皆兄弟」みたいな賑やかな雰囲気で、楽しそうだなと思います。

「2か月に一度あるバカンスをどちらの親と過ごすか？」「クリスマス休暇はどちらの実家に行くか？」など、複合家庭ならではの複雑な問題もあるようですが、こうして新しい家庭を築くにしても、シングルで生きていくにしても、別れた親同士が子どもを争いに巻き込まず、お互いの幸せを願いながら（願っているふりでも！）、平和に新たな人生をスタートする、そんな離婚なら、毎日険悪な家庭環境で子どもを育てるよりも、よっぽど健全だと思います。変な言い方ですが、「そんな離婚ができるような相手を選んで結婚すべき」だと思うのです。

結婚しても「家族」ではなく「男と女」

私は、我が子の父親であり、夫であるお父ちゃんとの関係は、壊れそうになっても修理を繰り返して、味のある老夫婦になりたいと思っていますし、その努力は続けたいと思っています。使い捨ての家具ではなく、年季の入った個性的な、世界に一つだけのヴィンテージのたんすのような夫婦になりたいと思っています。

ただ、お互いに「人生何があるか分からない」「どんな出会いがあるか分からない」という危機感はあります。「無敵のカップル」なんて存在しません。今はどんなに私に夢中のお父ちゃんでも、このまま私の中年太りに歯止めがかからず、メンテナンスをサボってしまったら、いつ20代、30代のピチピチの小娘に浮気されても不思議ではないと思っています。

私も若くて、イケメンの億万長者に言い寄られたら、老後のことを考えてそそくさとセザンヌの洋服を持って夜逃げするやもしれません！　今のところお互いに「娘が18歳になるまでは一緒にいよう」と誓っていますが、人生何が起きるか分かりません！　なので、そうなった時にみ苦しく相手の脛にしがみつくのではなく、「C'est la vie. それが人生ってものよ」とカッコよく言えるように精進したいと思っています。

この危機感というか、安心しきらないのが、おフランスの夫婦の特徴かもしれません。少なくとも私はそういう印象を受けますし、そうでありたいと思っています。60代、70代くらいの旦那様が「どうだい？　いい女だろう？」と言わんばかりに、同年代の奥様のお尻に手を当てながら微笑む姿を見ると、「あ〜！　これぞおフランス！」と感心します。

長続きするおフランスの夫婦は結婚しても、子どもができても、お互いに「家族」と安心せず、「男と女」であることを忘れずに、女性も男性も、相手の目に魅力的にうつるように努力を怠らず、たまにはロマンチックに二人でデートと洒落込みます。

私たちも、「決して結婚はゴールではない！」と夫婦ともども精進の日々です。

※参考サイト／INSEE（https://www.insee.fr/）, On se separe.com（https://www.onsesepare.com）

国際結婚はつらいよ

40代になって子どもも少し手が離れてから、周りの日仏カップルの離婚が増えてきました。積み重なったコミュニケーション不足や、思い描いていたフランス生活とのギャップ、フランスでの孤立感ことが大きな理由にあるようです。コミュニケーション不足は、日本人同士、フランス人同士でもあることで、元は他人同士の二人が同じ屋根の下で暮らしていく以上、避けられない問題だとは思います。

どんなにフランス語や英語が得意でも誤解は生じるもの。突き詰めていけば、母国語が同じでも話して通じないこともありますから、結局は円満な夫婦関係の秘訣は「お互いに聞く耳を持つかどうか」だと思い、私も口下手なお父ちゃんの言い分を忍耐強く理解しようと努力しています……（笑）。しかしながら、言葉の壁があることで本気の会話が交わせず、「言いたかったけど、うまく言えないからいいや」という小さな諦めが少しずつ蓄積されていくと、ある日「もうどこから、いつから、歯車が回らなくなったか分からない」という、手遅れの状態になってしまうことがあるようです。

フランスは何でも言わなければいけない文化ですが、日本人は我慢が美徳とされて育ってきましたから、「自分さえ我慢すれば良いんだ」と不満をため込む日本人女性がとても多いのです。どんなに日本の文化に理解があっても、超能力者でない限り、相手の考えていることを推察するのは不可能だと思います。

これは持論ですが、私は夫婦の間で「言葉では言わなくても通じ合える仲」というものは信じません。クロワッサンを買うためにジェスチャーで会話をするのとは、夫婦生活はわけが違います。個々に人格のある人間二人が、お互いに平等に満たされた夫婦生活を送るのなら、正直で正確な会話が成り立たないと、誤解に誤解が重なっていくと思うのです。最初から気の合う相手、考えていることが似ていることはありますし、だからこそ意気投合して結婚するのでしょうが、言葉も文化も違う二人の間に摩擦が起きて当然だと思います。むしろ起きない方が心配だと思うし、夫婦の絆は困難や意見の相違や、いろいろなトラブルがあって、それを一緒に乗り越えて深まっていくと思うのです。

その時に、自分の感情を外国語で一生懸命伝えなければいけません。しかも相手は議論の英才教育を受けてきたフランス人。ほとんどの人が「あー言えばこー言う」が本能として身についています。自分の非を認めないのは国民性だと思います。とりあえず謝って和を保つことを良しとして育ってきた日本人と根本的に違うのです。私がどんなにフランスかぶれしていても、ついつい笑って謝ってしまうクセが抜けないのと同じで、いくら日本人を理解しているフランス人でも、すべてを察することは不可能です。

じゃあ、国際結婚は「誤解のもとに成り立っているのか?」というと、そんなこともないのです。一生懸命自分の気持ちを正確に伝えられるように、語学面でまずは努力をする必要はありますが、根気良く相手の言い分を聞いて、妥協できるところはして、歩み寄って、一緒に成長しようという気があれば、たいていのことは乗り切れる気がします。

これはどんな結婚でも同じですが、国際結婚の場合は、さらにこの根気が重要になると思うのです。フランス語が苦手な妻が一生懸命何かを言おうとしているのに、被せるようにフランス語で反論してくるような夫はいけません。自分の国に嫁いで来てくれて、自分の母国語を一生懸命話そうとしている妻の言葉を遮るような夫はダメです。

この日本人女性の「弱点」をよく分かっていて、結婚するフランス人男も多いので、私は「日本人女性専門」の男性には用心してきました。そもそもそういう男性にはまず見向きもされませんが（笑）。自分の好みというのは誰でもあります。私も「外国人専門（ガイセン）」ではないにしても、タレ目の顔が好きです。それぞれの好みはあるので「日本人女性が好み」という男性を否定するわけではありません。奥ゆかしい女性を好むのは勝手です。自分の主張ばかりする強い女に嫌気がさすのも、まあ百歩譲って理解します。

でも、自己主張が苦手な妻を守るとか、サポートしてあげようという男性なら良いですが、自分の思い通りに丸め込もうとするフランス人夫では、ある日突然妻が子どもを抱えて永久帰国しても当然です。「日本人だから」ではなく、自分という人間に惚れ込んでくれた相手でないといけません。「黒髪の慎ましい日本人女性」だから近づいてきた男性と一緒になっても、それは後で自分の首を絞めることになるのです。そういうカップルは、大概別れます。「自分にしかない魅力」を褒めてくれるのではなく、日本的な女性の魅力を褒めたり自慢する男性には要注意ということです。

日本ではメジャーではありませんが、フランスではほとんどのカップルが、まずは同棲期間を経てから結婚します。このお試し期間を経るために、外国人の私たちには滞在許可証が必要になります。しかし、滞在許可証を取得するために、相手をよく知るための同棲期間を経ずに結婚してしまい、「抜け出そうにも抜け出せない状態」に陥ることがあります。これは国際結婚につきものの落とし穴ではないかと思います。

じっくり時間をかけて、相手も相手の家族も、外国人である自分を精一杯サポートしてくれるかどうかを見分ける必要があります。自分の家族から遠く離れて暮らすのですから、義理の家族が自分を家族の一員として、温かく迎えてくれるような環境でないと、実の親に心配をかけてしまうことになります。

多くの海外在住日本人妻にとって、一番の悩みどころは「帰省に途方もない額が必要になる」ということです。

私の場合パリに住んで以来、経済力があったためしがないので(笑)、親不孝な話ですが、年に一度の帰省はかなりの痛手になります。ようやくガイドとしてそれなりの収入が得られるようになったと思った矢先にコロナで失業してしまいましたので、年老いていく両親にもなかなか会えず、心苦しいばかりです。幸い、今の時代はビデオ通話のおかげで顔をみることはできますが、みるみる成長していく孫娘に頻繁に会わせてあげられないのは、本当に残念で仕方がありません。「国際結婚」、「海外在住」というと聞こえは良いですが、経済力のない一般庶民にはこの帰省費は重くのしかかる問題です。海外在住組の共通の夢は「どこでもドア」です。「親の死に目に会えない」ことは同じ国に住んでいてもあり得ることですが、やはりこれは海外在住組がみんな背負っていかなければいけない不安だと思います。

私のフランス在住の台湾人の友人は、最愛のお母様が危篤という連絡を受けてすぐ飛行機のチケットを取り、空港に向かう途中、メトロのストのせいで乗るはずだった便を逃し、1日到着が遅れ、ギリギリ最期を看取ることができなかったそうです。それを聞いて、いたたまれない気持ちになりました。定期的に年老いた両親の介護をしに帰省するにも、新幹線に乗るのとはやはりわけが違います。私よりも在住歴が長い先輩たちは、今まさにこの「介護帰省」で苦労をしている最中です。

「アンタが幸せなら」と送り出してくれた両親ですが、自分も年を取って、子どもを産んで、その一言がどれだけ潔く、勇気のあることだったか身に染みて分かるようになりました。「セレブじゃないなら海外に住むな！」「親不孝の非国民め！」「自分で選んで行ったんだから、自業自得だ！」と言われたら「その通りです」としか言えません。でも後悔しても遅いですし、今のお父ちゃんと娘と築いた生活には後悔はしていません。「アンタが幸せなら」と強がってでも送り出してくれた両親の思いを無駄にしないためにも、なるべく心配をかけずに、健康で仲良く家族を大切に生きていくしかないのです。でも同じように女の子を産んだお母さんも私も、娘たちには「海外に嫁ぐことないよ～！億万長者と結婚するなら別だけどね～」と今から釘を刺しています。

フランス人男は亭主関白

おフランスの男性というと、「レディファースト」、「紳士的でロマンチック」というイメージが世界中に広まっているように思います。街で道を譲ってくれたり、ドアを押さえておいてくれる、重い荷物やベビーカーで苦労していると、そっと手助けをしてくれる、レストランやカフェで、椅子を引いてくれる……。スマートに女性に手を差し伸べてくれる男性の姿は、確かに日常的に目にする光景です。「男の子なんだから、女の子を守ってあげなきゃ」という紳士的・騎士道的な精神というものは、少なくとも私たちの世代の男性陣の多くは教わってきたようです。

「女性は、はかなく繊細で、バラの花のように守らなければいけない、かよわい存在」という風に女性（というか貴婦人）に奉仕する中世の騎士道の行動規範に、ヨーロッパのレディファーストのルーツがあります。つまりレディファーストであることは、騎士、紳士として認められるために遵守すべきマナーで、意地悪な言い方をすれば、「自分が立派な男として認められるために」、「自分が良くみられたいから」、貴婦人に奉仕するわけで、レディファースト＝「女性想い」「フェミニスト」「男女平等」とは言い難いのです。

もともとは「男女不平等」だからこそ、力のある男が、弱い女を守るという立派な志から生まれたマナーではありますが、レディファーストと「男女平等」は実はまったく正反対ということです。レディファーストなお国柄なので「男女平等の社会」のように一見みえますし、ヨーロッパでも高い産後の女性の就業率など、女性が男性と同じくらい自立している印象を受けますが、実は家庭内では未だ「男女不平等」で、現在の日本人男性もビックリするような、「昭和の亭主関白」がおフランスにも生息しているという事実は、意外と知られていないのではないかと思います。

実際に何度もあったシーン。大人数でのディナーの席で男性陣たちが「男女の賃金の差」など熱く唾を飛ばしながら「男女平等の必要性」を訴えている。その間に彼らは、メインのお皿が下げられ、チーズ用のお皿が運ばれ、下げられ、デザートがサーヴされていることにも気がつかない……。完全にその場所をレストランだと思い込んでいるが、お皿を片付ける手伝いは全員女。ディナー終了後、キッチンでは女性たちがお皿を拭きながらおしゃべり、男性たちは食後酒を楽しみながらまだ議論。これは数えきれないほど体験したことです。

口は達者だが、言っていることとやっていることが矛盾していることが多いフランス人男のあるあるです。何度か指摘したことがありまして、決して自分の非を認めないことを幼少の頃から英才教育されているフランス人男性（女性もですが）は「気がついた人がやれば良いじゃないか、それが男でも女でも。たまたま今夜は先に気がつくのが女性が多かったってだけだ。女性の気の細やかさは否めないからね（と言っておだててごまかそうとする）」などと言い返してきます。女性側もまた「頼むのが面倒だから、先にささっと片付けちゃう」人が多いのです。なかには素直に非を認める男性もいて、「本当だね。確かに片付けをするのは女性の割合が多いね。僕はフェミニストの両親に育てられたけど一度たりとも家事の仕方を教わったことがないよ。矛盾しているよな」と言っていました。彼は彼女との間に子どもが生まれて以来、完全に家事を分担するようになったそうです。

と、私の周りのフランス人男性は、「亭主関白」というよりも「気がつかないだけ」の人が多いのですが、はっきりと亭主関白なフランス人夫の話（言い分）もよく耳にします。

例えば……。

「家事は完全に妻の仕事であり、楽なのだから喜んですべきである」という言い分。家事をこなす能力は、女が男より長けている数少ない能力の一つで、「ヒステリー」「おしゃべり」「無駄遣い」と同じように、すべての女の遺伝子にプログラムされていると信じている。しかし、フランスにおいては時代遅れな考え方であることは察知しているので、公では決して口にしない（しかし、奥さんが実際おしゃべりなので、周りに言いふらしていることには薄々勘づいている）。

家庭内で収入を得る仕事をするのは夫に限られるべきであると信じて疑わない。男は外に出て働き、家庭は妻が守るもの。各自の役目をしっかりと果たすことが家庭円満の秘訣であり、妻は決して夫の収入を超えるような仕事をするべきではない、妻が経済力を持つと家庭が破綻する原因になると信じている正真正銘の亭主関白もおります。ひどいケースになると、日本人妻に自分用の和食以外の食事を作らせたり、銀行のカードの明細をチェックして妻の行動や交友関係を監視する「コントロールフリーク」の病気がちなフランス人夫もいるようです。ここまで来るとかなり深刻です。特にフランス語ができない日本女性をフランスに連れてきて、檻に入れるような亭主関白を超えた病的な夫がとる行動ですが、驚くほど多いのです。

知らない土地で、言葉も通じず、頼れるのは夫だけ、というシチュエーションに置かれた日本人女性は少なくありません。「君のことは僕が守るから、安心してフランスへいらっしゃい」と言われたら、そりゃあなびいてしまうと思うのです。一見ロマンチックなのですが、お節介なオバサンに言わせると、これはかなり危険性の高い甘い罠です。それでうまくいくカップルだってもちろんいるかもしれませんが、中世の貴婦人のように「保護される」ことと「所有される」ことの境目はとても区別しにくいものだと思います。

最初は良いかもしれません。素敵な男性にリードされて、誰しもが夢みるパリやフランスでの素敵な生活が待っている。映画のヒロイン気分です。「所有されている」という印象よりも「守られている。女として幸せでラッキー」と思うかもしれませんが、時が経つにつれ、夫以外に話せる相手がいないし、好きなこともできない、言葉ができないことで孤独感を覚えてしまう。働いたり、外で友達を作ろうとしても夫に禁じられる。フランス人夫の檻に入れられて、うつ病やアルコール依存症になる。長年我慢をして、ついに離婚して帰国する女性も多いようです。

フランスで愛するフランス人夫と生きていくと決めたからには、フランス語を習い、フランスの文化を知ろうと外に出て（働いたり、レッスンに通ったり）、夫以外のフランス人の世界を発見して、輪を広げていき、意見や情報を交換し、自分自身の世界を築いていかなければ、そのうち辛い思いをすることになると思います。外国人の夫と外国の土地で暮らしていくには、その国で一人でも生きていけるくらいになっておかないといけません。

経済的に自立せず子育てに専念するのであれば、結婚をするなり、財産分与の取り決めを公証人の元で一筆書き留めるなど、「いざという時」に備えるべきだと思います。冷めた意見ですが、色々と見てきたオバサンはそう思います。

言葉がどうしてもできないのであれば、できる人たちとつながりを作っておく、もしくは日本で再スタートができる可能性をキープしておく。しつこいようですが、私は夫がいつ若い小娘と逃げていっても、一人で生活できるようにしています（笑）。フランスに馴染んで生活できるようにサポートする、橋渡しをするのが、お嫁さんに来てもらったフランス人夫の役目であって、「自分が教えてやる。自分の言う通りにだけしていれば良い。外には出るな。俺の収入だけで生きているんだから俺の言う通りにしろ」という檻に入れたがる亭主関白夫なら、子どもを作る前にさっさと帰国されることをお勧めいたします。

さて、最も悪質なフランス版亭主関白夫に話がズレてしまいましたが、私は日本でもフランスでも、別に亭主関白な夫といるからといって必ずしも不幸になるとは思わないし、夫が威張り腐っていても、実は妻の手のひらで転がされているという場合もあります。そして、お互いに相手を転がしているのは自分だと信じている。それはそれでバランスがとれていて幸せだと思います。

フランスと日本の亭主関白事情の大きな違いの一つに「亭主関白な夫の社会的な地位」があると思います。先にも言いましたが、おフランスでは「亭主関白」は(「マチスト」とか「マッチョ」と言いますが)、あまり良い目で見られません。宗教や社会的階級によっては未だに家事・育児に参加する夫は「女々しい」とする場合もありますが、フランスでは「家事・育児も男女平等」が理想とされ、社会的に良い評価を得ることができます。その裏にはやはり、不完全ではあっても法的にも「男女平等」な国だからではないかと思うのです。

フランスでは離婚をする場合、必ず弁護士をつけることが義務となっています。どちらかが離婚後に不利になることがないように、法的に監視の目が光っているわけです。私も協議離婚で「何もいりません」と言っても法律で定められているので、財産を分与されちゃいました。結婚・出産後も女性が経済的に自立していて、離婚率も高く、妻が夫の三行半(みくだりはん)に怯(おび)えることなく堂々としているので「亭主関白」な夫たちは肩身が狭いのかもしれません。

2章

アペロ、ホームパーティ、カフェ大好き

みんなで一緒に楽しむ

親戚のお庭でホームパーティ。

1. 日中のパーティもアペロからスタート。2. ママ友&パパ友と草上のアペロ・ピクニック。

3. 子どももシロップ水でアペロ。4. パスティスのペロケ。5. ピカールにはアペロ用の冷凍プチフールが充実。6. アペロの定番といえばハムとチーズの盛り合わせ。

1. セーヌ河岸に座ってアペロが、夏の風物詩。
2. バカンス前に公園で日焼け活動にいそしむ人々。

3

3.「ご近所さん親睦祭り」ではキッシュやサラダを持ち寄る。 4. 引っ越した後も仲良しの元隣人の友人たち。 5. アパルトマンの中庭に集まって隣人とサッカー観戦。

4

5

1

2

1. 私の好きなカフェ／人情溢れるモンマルトルのLa Fourmi。
2. 私の好きなカフェ／地元民が多いルーヴル前のLe Fumoir。

「スカイプでアペロ」が社会現象に

おフランスではapéritif＝アペリティフ、略してapéro（アペロ）は、「食前酒」を指す言葉であると同時に、食事の前に飲みながら軽くおつまみを食べる、フランス人にとって非常に大事な習慣でもあります。まさに「アペロを語らずにおフランスについて語るなかれ」です。

どれくらい欠かせないものかというと、コロナでロックダウンになり、まったく外出ができなくなった時も「アペロがなくては生きていけない！」と、「apéro skype＝アペロ・スカイプ」が社会現象となったくらいです。実際に同じ空間にいられなくても、グループでビデオ通話をしながら皆でワイワイお酒を飲んで非常事態を乗り切ろうというわけです。想像だにしなかったパンデミックの不安と恐怖に怯えながらも、前代未聞のロックダウンをフランス人はこの「アペロ・スカイプ」で乗り切りました。フランス人から「言論の自由」と「アペロ」を奪ったら生きていけないというくらい、欠かせない習慣なのです。

実は他のアジアの国の友人たちも、我々日本人もこの習慣が苦手な人が多いのですが、私はまさにその典型です。なぜかというとみかけによらずお酒に弱いからです(笑)。空っぽのお腹にアルコールなんてとんでもありません。おつまみをしっかり食べないと悪酔いするので、食前なのにお腹いっぱいになってしまうからです。でもおフランスで生きていくうえで、このアペロの習慣を避けることは、「生きる楽しみを放棄すること」を意味します。

apéritifはラテン語の「aperire」が語源で、イタリア語で「開ける」という意味があります。食前にハチミツを入れたワインを飲み、「毛穴や血管を開き消化を助ける」というアルコールの習慣に起源があるそうです。イタリアにもまたaperitivoという習慣があり、アルコール類を夕方に注文するとお食事のような豪勢なおつまみがついてきます。大食いの私でも「この後ごはん食べるの?」と思ってしまいますが、ヨーロッパの人(というかラテン系のカトリックの国々)は夕飯の時間が遅いので、夕方の6時頃からアペロで、夜10時近くに「やっぱりお腹すいたから夕飯」ということも多々あります。

アペロと夕飯を兼ねた「apéro dinatoire = アペロ・ディナトワール」というものもあり、凝ったディナーを準備することなく、気軽に友人たちを家に招待したい時、レストランに行く予算もないけど友人たちと語り明かしたい時、もしくはアペロだけのつもりだったけど、話したりないからそのままカフェで飲み続けてお腹がすいてきたので、お腹にたまるおつまみを注文してそれを夕飯とする、といったパターンがあります。

後に夕飯が待っている時のおつまみは、ポテトチップスやナッツ類のスナック、夕飯に響かない程度の軽いプチフールや、生野菜スティックなどが一般的ですが、アペロ・ディナトワールとなると

「planche de charcuteries＝ハムの盛り合わせ」や「plateau de fromages＝チーズの盛り合わせ」もしくは「planche mixte＝ハムとチーズの盛り合わせ」を、カフェではおかわりし放題のパンと食べるというのが最も一般的です。アペロ・ディナトワールだと、塩味ケーキやキッシュなども簡単なのでよく登場します。冷凍食品チェーン店のピカールには、このアペロで大活躍な商品がたくさん揃っていて、大変重宝します。

ディナーの前に打ち解ける大事な時間

おフランスに移住してフランス人と知り合いになると、わりとすぐにお家のディナーや休日のランチ、またはアペロ・ディナトワールに招待されます。

外食費が高いというのもありますが、お家に招待した方がリラックスして時間やお金を気にすることなく心行くまでおしゃべりできるからです。それに、家の中は本やらＤＶＤ、ＣＤ、壁に飾られた写真やポスターなど、個人情報が溢れていますので、これから仲良くなりたい人に自分を知ってもらうにはとても都合が良いからです。

フランス人ホームパーティのルーティン

ここでフランス人宅のディナーパーティの一般的な流れをご紹介いたします。ホストの収入に関係なく（出されるものは違いますが）、だいたい流れは同じです。

まず、お家でのディナーやランチに呼ばれたら必ず手土産を持っていきます。一番ポピュラーなのはワインで、「お料理は何?」と聞けるような関係なら赤にするか白にするか、などお料理に合うワインを選んでいきますが、迷ったらアペリティフにもデザートにも飲め、だいたいのお料理に合うのでシャンパン（冷えたもの）が便利です。

ディナーに呼ばれるといっても、持ち寄り形式の場合もあるので、アペリティフのおつまみやデザート、チーズ担当になることもあります。「何もいらない」と言われても、とりあえずチョコレートや花束などをお土産に持っていきます。

指定された時間（だいたい夜8時頃）より少し遅れて到着するのがマナーとされますので、招待してくれた人との関係にもよりますが、初めて招待されたお宅に早く着いてしまい、10〜15分ほど建物の下で時間を潰したこともありました（笑）。

オランダでディナーに招待されたフランス人が、約束の6時にわざと15分遅れて到着したらすでに全員テーブルに座って待っていて、着席したらすぐにお料理（1品目）が出され、8時には全員帰宅した。というお話を聞いたことがありますので、隣国でもこれだけ文化が違うものかと驚きました。

クラシック音楽マニアの岡魔先生は、ベルリンでフィルハーモニーのコンサートを鑑賞した後、夜10時に夕食難民になり、中央駅のマクドナルドでテイクアウトして駅前のベンチで食べる羽目になったと言っていました。一方、フランスやイタリア、ポルトガル、スペインといったラテン・カトリック系の国々では夜10時過ぎでも必ず食べ物にありつけます。


さて、到着したら初めて行くお家なら「お家ツアー」から始まるのがお約束。ここでお手洗いの場所をチェックします。

必ずお家の内装を褒めた後は、いよいよ居間でアペリティフの時間です。アペリティフで飲むものは、ビールやワインもあれば、ポルト酒、マルティーニ、といった少し甘めのお酒、ウィスキー、ジンやウォッカなどを使ったカクテルや、シャンパンやプロセッコなども人気です。こだわりのあるお家だと、ホームメイドの「ponche＝フルーツポンチ」やサングリアなどを用意している場合もあります。「アペリティフは何にする？　これとこれとこれがあるよ。」と聞いてくれるのですが、毎回思うのが「なんでそんなにお酒が家にあるんだろう」ということです。「ここはバーかしら？」と思ってしまうくらいです。どこのお家もだいたい「酒棚」があります。それだけ人をお家に呼んで飲む機会が多いからなのです。

　奥さんが見栄っ張りのくせに無精者の我が家でも、一応人を呼ぶことはあるので、上記の一般的なアペリティフの他にも「digestif = 食後酒」は、ノルマンディ名物のカルヴァドスが我が家の自慢で、お父ちゃんの実家から受け継いだ私と同い年のものを必ずゲストに勧めます。ホストの出身地によって、いろいろな「ご当地アルコール」が登場するのでこれは大変面白く、お酒が飲めなくても「Juste pour tremper mes lèvres = 唇をつける程度で」と言って味見だけさせてもらいます。

　アペリティフは長い時は2時間近く続くこともあります。アペリティフの間にディナーを仕上げるのですが、我が家の場合はどうせ私はお酒も飲めないので、お父ちゃんがアペロを振る舞う間に横でから揚げを揚げています。フランスのご家庭は、なるべくゲストと一緒にいられるようにオーブンや煮込み料理など、放っておけばできるお料理が一般的です。

　アペロが終わったら食卓に移動して、ようやくディナーですが、ここからもまた前菜、メイン、デザート、チーズと先が長いのです（笑）。ディナーが夜10時近くに始まって、デザート、チーズ、食後酒……と続いて帰りが深夜の1時、2時ということもあります。

　ディナーの帰りのタイミングは人それぞれですが、「疲れてるから」「明日の朝用事があるから」などと言って、デザートの後そそくさと帰宅する人もいますが、一般的には食後酒かコーヒーをいただいてから失礼します。

と、こういう流れなのですが、アペロがなぜ大事な習慣なのかというと、ご覧のようにおフランスでは「テーブルにつく」ことは、どこか畏(かしこ)まったところがあるからではないかと思います。その前に、ソファに座ってリラックスして、ゆっくりお酒を飲んで打ち解けて和んでから、いよいよテーブルに移動した方が、食欲も出て会話も弾む、ということなので、ランチでもディナーでもまずはアペロから始めるのです。

ちなみに何度も申し上げるように、お酒に弱い私はアペロではジュースやコーラなどソフトドリンクにすることがほとんどですが、「Pour tranquer = 乾杯するために」と言って、グラスの底に少しだけお酒を注いでもらいます。どんなに弱くても、一滴も飲めないわけではないので、セーヴしつつも頑張って飲みます。

アペロやディナーの目的は「食べること」でもなく「酔っぱらうまで飲み明かす」ことでもなく、「楽しい時間を一緒に過ごす」ことです。

ほんの少しでもお酒を頂いて乾杯することで、自分もそこにめいっぱい参加する意思表明をします。別にそういうルールがあるわけではありませんが、一滴も飲まない人物を前にした時のフランス人の反応を見てきて、「ちょっと無理してでも飲んだ方が受け入れられる」と感覚的に察知したからです。大袈裟なようですが、人によっては「人生を楽しめない奴」のような不当な扱いも受けます(笑)。

私がお酒を飲まなくてもテンションが高いことを知っている仲の人たちといる時はソフトドリンクの

ことが多いですが、それでもクリスマスやお誕生日などのパーティでは必ずアペロでシャンパン（かなり苦手ですが）で乾杯します。本当に一滴も飲めないのなら、無理をしてソワレの間ずっと気分が悪くなるよりも、ソフトドリンクでテンションを上げれば問題ありません。

ただ、私が抵抗感を覚えるのは、「飲酒＝人生を楽しむ、お祝いをする」という考えが定着するあまり、妊娠中の女性の飲酒にとても寛容だということ。今でこそ「妊娠中の飲酒は一滴でも胎児に影響を与える」とメディアでも注意喚起されるようになりましたが、お腹の膨らんだ女性がワインやシャンパンを飲む姿を何度も目にしてきました。

実際に私も妊娠中のクリスマスに義理父に「乾杯だけでも」とシャンパンを勧められたことがあります。妊娠している知人がワインを飲んでいたので、「赤ちゃんが健康に生まれなかったらどうすんの？　そのワインのせいでその子が一生苦しむかもしれないんだよ！」と強く叱責したところ、周りのフランス人たちは驚いていました。率直に発言をしても大丈夫な文化なのに「楽しみに水をさす」ことには躊躇する、「本人の判断に任せる」のは良いですが、納得がいかないこともあります。

突発的に大人数で集まるアペロ

もう一つ、アペロがとても日常的な習慣になっているのは、前々から予定を空けておいたり、ご飯の準備をしなくても、突発的に集合するにはちょうど良いからです。この突発的な会合というのが、おフランスではとても多いと思います。何週間も前から「この土曜の夜は我が家にディナーにどうぞ」というと畏まってしまいますし、いくらホームパーティが普通のこととはいえ、やはりそれなりの準備は必要です。それに比べてアペロは、「今日はお天気良いわね！　立ち話もなんだからアペロしましょう」という感じで突然その場で決まることが多いのです。

例えば娘のお友達のお父さんやお母さんと、習い事のお迎えの帰りに「良い天気だねえ！　アペロしようか！」「いや～、今晩は先約があるから明日はどう？」「いいよ！　じゃあWhatsApp（メッセージアプリ）で集合かけよう！」となり、翌日5家族のお父ちゃん&お母ちゃんが集まり、近所のカフェでアペロをしたり、というように。アペロの良さは、突発的に大人数で集まれるという点にもあります。

その間子どもたちは横の芝生で遊ばせていました。子どもを放ったらかしにして（一応ちょこちょこ監視します）、親たちはカフェのテラスでおしゃべりしながら飲むのです。たまに「喉渇いた～！お腹すいた～！」と駆け寄ってくるので、フライドポテトやハムを注文すると、ハイエナのように盛り合わせのお皿に群がり、あっという間に食べ終わったらまた走って遊びに行く。夕方6時頃から始まり、11時頃までハムとチーズをおつまみにしてロゼワインを飲みながらおしゃべりしていました。

同じように突発性のピクニック形式のアペロも、夏は頻繁に催されます。「今週末お天気良いからピクニックしよう！」「集合かけるね！」「うちはサラダ、持っていく」「うちはデザート、作る」「キッシュにするわ」といったメッセージが飛び交い、持ち寄ったお料理を食べながら大人たちは夕方から日が暮れる夜の10時過ぎ（フランスの夏の日没時間）まで飲み、子どもたちはひたすら遊び続けました。

カフェだとお金がかかるので、暖かくなり日脚が伸びると、パリの公園やセーヌ河岸にはスーパーで買った安いワインやビール、ポテトチップスやミニトマト、チーズ、ハム類、バゲットを買って、地べたに座ってアペロをする若者たちで溢れ返ります。

ちなみに、フランス人は地べたに座るのが大好きです。「ピクニック」といっても、手の込んだお弁当を作ったり、レジャーシートに水筒に……と準備に時間をかけることなく、突発的に「お天気が良いから」と言って地べたでアペロなのです。

海辺に住む人たちは、砂浜に敷く布を常備している人さえいます（笑）。仕事明けは必ず海辺でアペロというわけです。フランスの大きな都市には大河が流れていますので、お天気が良い夕方はどこの町も河岸の地べたに座る若者たちで溢れ返ります。

この即興性に「人生は楽しめる時に楽しむ」というおフランスの哲学を感じます。私はどうしても地べたに座るのは抵抗がありますが、考えてみればジーンズだったら帰宅して洗えば良いことです。

細かいことは気にせず、今日の暖かい過ごしやすい夕方を楽しんで、一緒にいる時間を心行くまで満喫する方が優先！と思うようにしています。

夏だ！　太陽だ！　アペロだ！

フランス人は何かにつけて「On va boire un coup. = 一杯飲もう」と言います。コーヒーよりもFestif（お祭りっぽい）ですから、「会って会話を楽しむ」とか「お天気が良い」という喜ばしいことを「めいっぱい楽しむために飲む」というわけです。例えば、後述する「fête des voisins = ご近所さん親睦祭り」がフランス中で開催されるのもお天気が良くなってきた5月下旬、または6月初旬で、親睦会といってもお茶会でなく必ずアペロ会です。

フランス語にconvivialという言葉がありますが、これは「con」ラテン語で「一緒に」という言葉と「vivere = 生きる」から派生した「convivialis = 食卓を共にすること」という言葉が語源で、「皆で楽しむ」という意味です。このconvivialな時を過ごすためには、目が覚めるコーヒーではなく、饒舌にしてくれるお酒は欠かせないのです。

そして、彼らは「特別な時間」を日常にみつけ出すことが得意です。それは久しぶりに友達に会うこと、ご近所さんと知り合いになること、お天気が良いこと、といろいろです。その特別な時間を満喫するためには、皆で一緒に、距離を縮めてくれるお酒で乾杯するのです。

というわけで突発性のアペロが断然多いのは、もちろん夏！　お天道様が顔を出すと、「太陽を満喫せねば！」「太陽に乾杯！」となります。お酒の消費量は日照時間に比例して増えていきます。6月にサマータイムに切り替わると、アペロタイムは夕方5時頃から始まり、日が沈む10時過ぎまで夏の夜を楽しみます。

長い日照時間を心行くまで楽しむアペロは、夏の風物詩です。そしておフランスの夏の季語のような食前酒がいくつかあるのでご紹介いたします。

①　パスティス

我が家のお父ちゃんは、夏のアペロの王道「パスティス」が大好き。

パスティスはマルセイユ発祥の南仏のリキュール。スターアニス、フェンネル、レグリース（リコリス）の蒸留酒で、アルコール度は45度以上。リコリスは甘草の根を乾燥させたもので、漢方薬にも含まれる成分ですが、フランスでは普通にオーガニックのスーパーや薬局で購入できます。木の枝のようなものをかみかみすると、虫歯予防に効果的だそうです。この独特の薬っぽい風味が苦手な日本人は多いですが、赤いグルナディンやミントのシロップを入れると飲みやすくなります。グルナディン入りのパスティスはtomateトマットゥ（トマト）、ミントのシロップ入りはperoquetペロケ（オウムという意味）。やっぱり南仏の飲み物だけあって、ほんのり甘苦く、清涼感があります。透明の液体に氷と水を注ぐと白く濁り、ほんのり黄色いパステルカラーに変わるので、夏の青空にとてもよく合います。「ベレー帽をかぶったムッシュがカフェに座って新聞を読みながらワインを飲む」というのがパリのイメージなら、「青と白の縞々Tシャツを着たムッシュがパスティスを飲みながらペタンク遊びに興じる」というのがマルセイユのイメージです。

② ロゼワイン

もう一つ、フランスの夏の色といえばほんのりピンクのロゼワイン。夏はアペロにも、ランチのサラダにも、夜のバーベキューにもロゼ！　冷えたロゼワインはフランスの夏に欠かせません。普段はワインの飲み方にうるさいフランス人ですが、夏のロゼワインは無礼講。「ワインに氷なんて、アメリカ人じゃあるまいし」といつもは嫌味を言いますが、夏のロゼワインには堂々と氷を入れています。フランスでは「冷たいはずの飲み物が常温だったり、熱いはずの食べ物がぬるい」ということがよくありますが、「冷えていないロゼワイン」だけは許せないようです。確かに軽い口当たりのロゼワインは、サラダやバーベキュー、スパイシーなアジア料理など、夏に人気の食事によく合います。

お天気が良くなって、カフェのテラスやワイン屋さんのウィンドーでロゼワインが目立ち始めると

「あ〜。夏が近づいている」と、気分が上がります。一足先に、もうそろそろやってくるバカンスに思いを馳せ、テラスで白い脚を少しでも焼いておこうと必死な女性たちが、ロゼワイン片手に「プレ・バカンス」を楽しむ姿はパリの初夏の光景です。

話はそれますが、フランスの女性は白い肌を嫌います。少し気温が上がってスカートをはくようになると、「脚が白すぎるわ!」とスカートをまくって日焼け活動（ヒヤ活）に勤しみます。フランス人女性が容姿に関して「恥ずかしい」と言うことはあまりありませんが、夏が近づいてくると「脚がお尻みたいに白くて嫌だわ!」というセリフはよく耳にします（笑）。

セーヌ河畔でアペロ＆日焼け活動

というわけでバカンス先のビーチで白浮きしないために、6月頃になると公園の芝生や、歩行者天国になったパリの中心部のセーヌ河岸でも、通りすがりの旅行者たちの驚きの視線も何のその！　ビキニ姿で「ヒヤ活」をするパリジェンヌたちを見かけることがあります。

バカンスまでに小麦色になれない場合は、autobronzantというスプレーやクリームで人工的に小麦肌に着色してビーチへ向かったり、ミニスカートをはく、というくらい「白い生足」はＮＧなのです。

我々在仏日本人の中でも、私のように若い頃に油断してフランス人女性のマネをして、夏になると日焼けをしていたクチの、現在中年になったオバサンたちは、「ほ〜れ、みたことか」とシミに悩んでおります（笑）。西洋人の女性は、小麦色の肌にそばかすができるくらいで、髪の色も明るくなり、とても健康的で、ついついマネしたくなるのです。お父ちゃんも夏のバカンスの後、日焼けが残っている10日間ほどは、ほんのり小麦色で金髪のいい男です（笑）。西洋人の肌はそばかすはできても、5円玉大のシミになる人は珍しく、シミを気にする人は少なかったのですが、ようやく最近になって「紫外線は老ける」ことに気がついたらしく「美白化粧品」が販売されるようになりました。

お酒が苦手な私もバカンス中は必ずアペロ・タイムを楽しみます。夕飯の準備もしないか適当で済ませる、お母ちゃんにとってもバカンスですから、「何もしない」贅沢な時間を満喫すべく、冷え冷えのロゼワインを海を眺めながら楽しみます。こんな時間を過ごせるように頑張ってきた自分を褒めてあげながら、家族に、太陽に感謝しながら、その瞬間の幸せを噛みしめて乾杯します。

サバイバルに欠かせない「ご近所付き合い」

ご近所さんと良好な関係を保つことは、どこの国でも大事ですが、特にパリでうまく生き延びるために、ご近所さんはなくてはならない存在と言っても過言ではありません。日本では、例えばお湯が出なくなったり、鍵をなくしたとしても、曜日や時間に関係なく業者に連絡して素早く修理をしてくれるし、詐欺に遭う危険もありません。宅配便も指定した日時に、奇跡のようにピッタリ配達してくれます。迅速で正確で信頼のおける日本のサービスはユネスコの無形遺産にでも登録してほしいくらい世界でも珍しい、日本にしかできない離れ業です。日本は何でも人に頼らずとも、お金を払えれば生きていける国だと思いますが、フランスはお金があるだけでは生きていけない国かもしれません。

Netflixの人気ドラマ『エミリー、パリへ行く』の中でも、シャワーのお湯が出なくなる場面がありました。パリのアパルトマン（集合住宅）は、古い設備の物件がほとんど。こういった水回りのトラブルは絶えません。真冬に給湯器が故障して、お湯も出ない、暖房も機能しないということもあるなのです。まず、大家さんや不動産屋さんに連絡をして、修理に来てもらうにも時間がかかったり、どうしても家にいられなかったり、ドラマの中でもあったように「部品がないから1週間かかる」という事態も現実に起こり得るのです。ドラマの中のように、超イケメンで優しいフランス人男性（女性でも）のご近所さんが、シャワーを貸してくれるなんてこともあるかもしれません！

何が起こるか分からないパリ！　近所に同じトラブルを経験したことがある人や、対処方法を知っている人たちがいれば心強いものです。そして、意外とフランス人は人助けが好きな人が多いのは住んでみて知った「bonne surprise＝意外にポジティブな発見」です。普段挨拶もしたことがないのに、突然「隣の者ですが、助けてください」では眉を顰められるかもしれませんが、今までに私は、顔見知りのご近所さんの扉を叩くと、皆さん腕まくりをして助けてくれました。

そして、ご近所さんは大事な情報源です。新しく引っ越してきて、「お肉屋さんはマルシェでもあそこ！」とか、良いお医者さん、学校関連の情報、鍵屋さんや水道の修理工業者……などなど、毎日の生活に役立つ情報を惜しみなくシェアしてくれる気の良いおばちゃん（おじちゃんでも）とお友達になったらもう怖いものなしです。フランス生活では、いろいろなところで輪を広げていくことが大事です。スポーツクラブ、ヨガ、音楽……何でも良いと思いますが、あちこちに友達を作って輪を広げます。フランスはコネ社会ですので、「～さんの友人の～さんの紹介で」なんて言うと、閉ざされた扉が魔法のように開くのです！

「ご近所さんが実は有名な医療機関専門のジャーナリストで、彼の紹介してくれたお医者さんに診てもらったら、今まで治療不可能だった病気の原因が判明して、治癒に向かっている」なんて体験談をつい先日聞いたばかりです。そのお話を私の友人にして、彼女も私の友人の紹介ということで、診てもらうことができました。というように、とにかくコネクションはいくらあっても良いのです。ご近所さんは貴重なコネクションとなり得る人たちです。ご近所付き合いを大切にしておくことで、損をすることはありません。

実は私たちが本当にご近所さんと仲良しになって、お付き合いをするようになったのは、子どもが子連れ家族同士できてからです。パリのアパルトマンに住む家族は、地方出身の核家族が多いので、子連れ家族同士「持ちつ持たれつ」で助け合うことがあります。

例えば仕事で、子どもの送り迎えに間に合わないという時。ご近所さんの子どもと学校が同じなので、何度も助けられました。お向かいの奥さんが二人目の子を妊娠中、真夜中に産気づいて上の子どもを預かったり。お父ちゃんが夜遅くに帰宅して、鍵を忘れた時のこと……。何度も家電や携帯に電話したり、ドアを叩いたり、呼び鈴を鳴らしても、私が耳栓をして寝ていたのでまったく聞こえず、真夜中に階段でうずくまって寝ようとしていたお父ちゃんを上の階の旦那さんが拾ってくれて、朝までソファで寝かせてくれたり……。

日本とはかけ離れた適当な宅配便サービスなので、「朝9時〜夜20時の間に配達しまーす」などというお知らせが来ます。そして配達員から電話がかかり、「今着くから下に降りて待っててくれ」と言われ慌てて建物の前まで降りると、車の窓からポーンと包みを投げられたことも（笑）。留守中に配達がある場合は、ご近所さんに代わりに受け取ってもらうようにしています。今のご近所さんとは、WhatsAppというアプリのグループでつながっているので、「今家にいる人〜？　宅配便受け取ってくれる〜？」といったメッセージを送り合っています。隣の建物で火事があった時も、すぐにグループ連絡をして、建物の住人全員無事に避難することもできました。

私は20年来、パリのアパルトマン暮らしで、地方の都市にも、一戸建ての家が並ぶ住宅街にも住んだことはありませんので、ここではパリのアパルトマンの事情をお話しいたします。パリのimmeuble（建物）には、いくつものappartement（アパルトマン）が入っています。ほとんどの場合、そこにlocataire（賃借人）と、propriétaire（大家）が混在しております。この賃借人か大家かで、仲良くなれるかなれないか、が決まる場合が多いのです。なぜかというと、大家が集まって建物のメンテナンスについて話し合ったりする会議があるので、必然的に顔を合わせる機会も増えてくるからです。「郵便箱が古くてボロボロになってきたから替えない？」とか「屋根が古くなってきたから、そろそろ瓦を替えないといかん！」などと、会議をする前から立ち話をして、大家同士で建物の問題について話し合ったりもします。とはいえ、賃借人は「大家サークル」に入れないからといって、ご近所さんと仲良くなれないわけではございません。ご近所さんと仲良くお付き合いするためには以下のことに気をつけます。

引っ越してきたら、まずご挨拶

これはどこの国でも同じだと思います。建物の大きさにもよりますが、せめて自分のお向かいさん、お隣さん、いわゆる「voisin de palier」という同じ階のご近所さんには「こんにちは〜！　新しい住人です～！」と声をかけます。できれば自分のアパルトマンの上と下の人も知っておくと良いです。何事も第一印象は大事です。友達になる必要もないとは思いますが、他人はそっとしておこうという日本と違い、「得体の知れない人物」にはものすごく警戒心を持ちます。治安の意味でも、周りの住人を知っておくと良いです。私が左岸に住んでいた時は、この後お話しする「ご近所さん親睦祭り」も普及しておらず、まだ自分からドアをノックして挨拶に行く勇気もなかったので、ご近所さんの顔を知りませんでした。

ある日、建物の階段を上がっていると、下のアパルトマンのドアを開けようとしている、毛皮を着てサングラスをかけた金髪のやたらとたくましい女性に遭遇しました。初めて会った下のご近所さん。ちゃんと挨拶しようかなあと思ったのですが、私の「ボンジュール」にも応えてくれませんでした。「ツンとしていて感じわる！　やっぱり一等地に住む人はお高く止まってる」なんて思いながら帰宅したのですが、後で買い物に出かけて帰ってきた時に、警察官が数人現場検証をしていて、それが空き巣だったことが分かりました。今でもよく覚えているのですが、おそらく女装した男の空き巣だったと思います。下の住人のことを知っていたら、怪しいと気がついたかもしれないのに……とその時に、せめて顔だけでも知っておこうと反省しました。パリは（特にバカンス中）空き巣が多いので、ご近所さんと「いつ誰が留守にしているか」を知っておくと良いです。

「ご近所さん親睦祭り」に参加すべし

年に一度、フランス中で開催されるこの「ご近所さん親睦祭り」は、ちょうど私が移住した20年前から始まったそうなのですが、あれよあれよという間に大事な恒例行事になりました。

パリでは5月の最終金曜日に開催されます。これは大家も賃借人もこぞって参加します。この機会は逃さず、必ず出席しましょう。フランス語が苦手でも、ちょこっと顔を出すだけでも良いですから、「私は2階の左のドアのリョーコです」といった感じで自己紹介をして、ワイン1本とおつまみを持っていきます。ここで日本のスペシャリティなんて振る舞おうものなら一気に評判が上がります。

どこに誰が住んでいるのかを知る絶好の機会ですし、輪を広げる貴重な機会でもあります。パリだと同じ建物に住んでいながら、目を合わせずにボソッと「ボンジュール」と言うだけの場合も多いのですが、我が家もこのお祭りで、お父ちゃんがめいっぱい愛嬌を振りまいてくれたおかげで、周りにお友達がたくさんできました！　引っ越した今でも仲良くしている大事なお友達です。

フランス人との上手な付き合い方

ところで、「フランス人とうまく付き合うために知っておくと良いことはありますか？」と、私のように20年以上も住んでいる古株になると、このような質問を受けることが何度かあります。ですが、20年経って思うのは「結局人間は同じ生き物」ということ。生活習慣に違いはあれど、自分が嫌だなと思う人間はどの国にもいて、どんな人種や文化や宗教の影響で育っていようとも同じだし、逆にまったく違う環境で育って、国籍や顔形が違おうと、不思議と心がつながる人がいるものです。そして、うまく付き合っていくために必要なマナーなども、結局は日本と同じ感覚で良いと思います。私たち日本人の基本的な礼儀作法が身についていれば、どこの国であろうと問題はないに違いありません。

例えば、どなたかのお家に招待されたら「何も持ってこなくても良いわよ」と言われても、手ぶらではお邪魔しない、といったことは日本でもフランスでも同じだと思います。礼儀作法に関しては「日本の常識」はそのまま海外でも通用すると思って良いと思います。

育った環境や土地柄によって同じフランス人でも違いますし、人付き合いのマニュアルというのはありません。日本では「これはなし／あり」という基準がこと細かくあって、そこを一歩外すと冷ややかな視線を感じることがあります。そのマニュアルというか、暗黙の了解の行動規範は、日本人として生まれて、日本で育って、生活をしていないと分からないものです。

些細なことですが、スーパーのレジ前や電車に乗る際の列の作り方などが良い例で、みんなが決まりを守る。一見窮屈な印象なのですが、正反対のフランスで暮らしてみると、みんなが自己主張を控えてルールを守り、「和」「協調」を何よりも重んじる世界だからこその「安心感」があるということをシミジミと感じるようになりました。

ただこれは島国の日本では可能ですが、多民族・多文化の、大陸の交差点であるフランスでは無理なお話です。おフランスの辞書に「秩序」という言葉はありません。ここはカオスです。「全体の和のために個を犠牲にする日本」に対して「全体の和をヒッチャカメッチャカにしてでも、自分の言い分を通そうとする人たちが成すフランス」で、良く言えば「何でもありだからこそ楽！」悪く言えば「何でもありのカオスだから、自己主張をしないと踏み潰されるため常に戦闘モードで疲れる」のです。

私の大学時代のある恩師は「フランスはフランス人さえいなければ天国だ」とおっしゃっていました。「これだけ秩序がなくてカオスなのに、よくぞ国として機能しているな」ということです。

そういう意味では、「フランスってすごい国だ！　フランス人、あなどれん！」と感心いたします。国中がストライキしても、バカンスのために仕事を3週間ポイ投げしても、へっちゃらなんです。カオスでも、世界中に胸を張って「おフランス」という強国であり続ける。その矛盾こそがフランスだと思います。

「285種類のチーズを生産する国を、どうやって統治しろというのだ?」という有名なシャルル・ド＝ゴール大統領の名言通り、麗しきカオスの中で、島国の平和な日本からやってきた私たち日本人が、どうやったらノイローゼにならずに生き延びていけるのか? 私なりに、気をつけているサバイバル手引きをご紹介したいと思います。

① 気にしない

まず、フランス生活での一番大事な標語は「気にしない」です!

フランス語で「Ne le prends pas personnellement !」と言われることがあります。「個人攻撃だと思うな」といった直訳になりますが、「悪く思うな、悪く捉えるな」「気にするな」という意味で使います。ネガティブなことを言われたり、されたりした時に、このフレーズを言って慰めてくれたり、フォローしてくれたりします。フランスでノイローゼにならないためには、これだけは心に留めておいた方が良いと思います。「気・に・し・な・い!」。お店できちんと挨拶をしたのにツンとされても、気にしない。「店員さんがその日彼氏と喧嘩したのだろう」と思うようにします。

攻撃的な態度や言動は、パラノイアやジェラシーから来るものです。自分の心の中が平和な人は、攻撃してきません。日本だと日常生活であからさまに嫌悪感をむき出しにされたり、失礼な態度をとられることは滅多にないことなので、フランスでむき出しになった否定的オーラを感じると最初はかなりショックを受けます。

でもこれも、個人的に攻撃されたわけではないことを思い出します。みず知らずの赤の他人に嫌な思いをさせられたら「ふんっ！」と無視して美味しいクロワッサンでも食べてお腹の虫を落ち着かせますが、プライベートやビジネスで意見の相違が発生したらどうするのか……。でも、これもまた同じです。「気にしない！」

フランス人の同僚と意見が合わずに、言い合いになってしまっても気にしない。フランスでは、議論は普通のこと。口論も頻繁に起こります。職場で言い合いになっても、次に会った時にはさっぱり忘れていたりします。自分の権利を主張したり、お互いの利害が一致しなくて話し合いになる、といったことは当然です。

うやむやにするよりも、ハッキリ・スッキリ解決です。日本のように「問題解決に向けた会議で発言する内容を決める会議」的な、念には念を入れたトラブル回避の対策はなく、ストレートに問題は単刀直入に話して解決することがほとんどです。自分の非を指摘された、自分が要求したことを却下されたからといって、人間性を否定されたわけではないということを心に留めておきます。

私たち日本人は「怒られる」ことに過剰に反応するという印象を受けます。

怒られて自分に非があると認めるなら「Pardon＝すみません」と言えば良いことです。落ち込んだり、傷ついたりしてはせっかくの旅行も台無しです。実際には非がないのにイチャモンつけられることの方が多いですが、そういう場合は知らんぷりして「ふんっ！」と、これも「気にしない」です。

気がつかないで誰かに不快な思いをさせてしまうことなんて誰にでもあるはずです。個性の強い人たちが共存する国で、摩擦が生じるのは当然のこと、摩擦が生じて議論に発展することも当然なのです。そして「あー言えばこー言う」文化ですから、納得いくまで話し合います。「ことを憎んで人を憎まず」がフランスだと、ある友人が言っていましたがその通りだと思います。

② 情に訴える

ただ、おフランスでも礼儀は大切だし、人を立てることも大事ですから、言い方やタイミングには気をつけましょう。何でも不躾(ぶしつけ)に発言して良いわけではありません。そこで、フランス人とうまく付き合うために、もう一つ心得ていることにつながります。

「毛の流れにそってなでる」もしくは「同情をかう」です。

例えばフランスのグリーンカードに値する10年間の滞在許可証＝carte de résidence の取得の時。警察庁に出向いて書類をしっかり用意していけば問題がないはずなのですが、人によって書類が通ったり、通らなかったり、という摩訶不思議な事態が発生します。

私は学生の時のヴィザ更新の際に、バカンス前日に行ったからなのか、窓口の方が上機嫌で、書類が足りなくても申請できたということもありました。

最初の10年カードが発行された時も、本来なら1年待てば獲得できるはずなのに、元夫の書類不備でもう半年待たなければいけないと分かった時に、こっぴどく元夫にお説教したところ、しょんぼりした彼を哀れに思った警察庁の方が、「例外的に」とその場で発行してくれました。フランスでは、情に訴えると聞いてくれることがあると分かって以来、演技に熱が入るようになりました。

娘の保育園の入園も、最初は「キャンセル待ち」と言われていたのですが、区役所の係の方に直談判しに行きました。「我が家は共働きでないと厳しいのです……。そしてベビーシッターという方法は、私の国では考えられません！　子どもは親が、もしくは保育園で育てなければ心配です。故郷の母が心配しているんです！」と涙目で訴えたところ、「最善を尽くす！」と我が家の書類をプッシュしてくださいました。

情に弱い人が多いのも、私がこの麗しのカオスの国フランスを愛する理由の一つです。とりあえず話は聞いてくれる。運が良ければ要求が通ることもあるのです。理不尽なことも多いですが、「話せばなんとかなる！」のです。

フランス人は人助けが好きです。ですから事情を話せば、助けの手を出してくれることがあります。プライベートでも助けの手を差し伸べられたら、それは本気で助ける気があるものと受け取ります。

日本だと、「助けの手を差し伸べることで、相手が可哀想に見られている、同情されている、と傷ついてしまわないように、あえて助けは申し出ない」みたいなところがありますが、こちらの人はもっとストレートです。裏がない人が多いのでウイならウイ、ノンならノンと理解して良いですし、何かを申し出てきたら、それは素直に助けていただく、ご厚意を受ける、で良いと思います。

③ 赤の他人にもボンジュール

ヨーロッパは民族が常に移動してきましたし、フランス国内でもつい最近（フランス革命）まで、地方ごとに言語も違いました。多文化・多人種の現在のフランスでも、ハッキリ意思を伝達する、自分が何者であるかを相手に理解してもらうことは、生存本能として身についているように思います。

そして、そんなカオスだからこそ「君は仲間だよ」と相手や周囲に証明するために、ジェスチャー付きでハッキリ挨拶をして相手の存在を認めることは最低限のマナーなのです。

「赤の他人にもボンジュール」。動画の中でも申し上げておりますが、フランスではお店に入ったら必ず「Bonjour」です。出る時にもできれば笑顔で「Au revoir.」と言います。これは思っている以上に大事なことです。

あるハリウッドの有名な女優さんが、フランスの高級ブティックの店員の激しいバッシングを受けていたことを思い出します。「ツンとして挨拶もしない！」と大ヒンシュクをかっていました。

日本でお店に入ると一斉に「いらっしゃいませ〜！」と迎えられますが、客の立場で「こんにちは

〜！」とは返しません。これが、フランス流に慣れてしまうとものすごい違和感を覚えるのです。コンビニでも必ず「こんにちは」「どうも〜」くらいは言ってしまいます。フランス在住のある友人は日本のコンビニで、去り際に「何か言わなきゃ」と思い、咄嗟に「ごちそうさま」と言って店員さんにキョトンとされたと話していました。フランスでは、お店でもレストランでもカフェでも「ボンジュール」を言わないと、その後そこで過ごす数分、数十分が居心地の良い時間になるとは保証されません。言っても不快な思いをすることもありますが（笑）。

客として感じが良いかどうかで、店員側も態度がまるっきり違います。本当にあからさまです。先述のように、フランス人は感情がむき出しの人々ですから。「お客様は神様」ではなく「客も店員も人間」どころか「店員の自分たちは働いているんだから、働いていない客が店員に気遣うべき」くらいの態度です。

「客より店員の方が偉い」。スーパーやデパートのレジのあるあるです。

ズラッとレジにお客が並んでいるのに、レジ係は一人だけ。行列ができても、周りの店員はレジを開けようともせず、商品の陳列を続ける。「レジ開けてくれない？」と客が言うと「今商品を並べないと後が大変だから、今はそれどころじゃない」と店員が迷惑そうに答える。ここからバトルが始まり、労働条件やらなんやら、政府の批判が始まったりする……。急いでいなければ「また始まった」と思ってニヤニヤしながら見ますが、自分が急いでいる時は本当にイライラします。

労働者側のパワーが強いのは、公共交通機関も同じです。

もちろんすぐにストライキを起こしてしまう人たちですから、乗客に対して普段から強気です。「お客様」という意識はもちろんありません。むしろ「自分が運んでやっている」という感じです。私はバスをよく利用しますが、今まで何度も運転手さんがスネて「発車しない」という現場に立ち会いました。それこそ挨拶をするかしないかで乗客と喧嘩をして「今日はもう帰る」と言った運転手さんまでいました（笑）。

最初は運転手さんに「つまんないことで怒るな！」「仕事に遅れる！」と怒鳴っていた乗客たちも、運転手さんに「全員降りろ！」と言われた瞬間、「なんで挨拶しなかったんだ！　人間として基本のマナーじゃないか！」と乗客の方に矛先を変えました。パリのバスのあるあるです。

といったように、挨拶をすることは相手を人間として認めること、働いている人に感謝の気持ちを伝えることだと思っています。返答がなくても気にしません。毎日１００万回「ボンジュール」と繰り返すのが疲れるという運転手さんの気持ちも分かります。

私は乗客が少ない時は、バスを降りる時も「メルシー！」と大声で言ってから降ります。何でもありの国ですから、「ありがとう」と言いたくなったら、大声でも言ってしまいます。それで変な目で見られることもありません。

面白いなあと思う習慣は、「密室のボンジュール」です。

例えば、診療所の待合室に入る時、そこですでに待っているみず知らずの人にも挨拶をします。

エレベーターも同じ！　パリだとみてみぬふりで挨拶なしのことも多いですが、地方では、道ですれ違う赤の他人ともボンジュールと挨拶してしまいます。山道でハイキング中、スキー場で、周りに人がいないところで誰かとすれ違うと挨拶をします。

要は「あ、アタシたち二人っきりね」みたいなちょっと気まずい瞬間に言うボンジュールです。「こちらは怪しい者ではございません」という挨拶なのかなと思って、私も「平たい顔してますが、笑ってボンジュールと言えますよ〜！　怪しい者ではございませ〜ん！」という感じで先手を打って挨拶してしまいます。

こんな風にみず知らずの人に「ボンジュール」と言われて返さないことは、最も失礼なことです。これにはフランス人は激怒しますので、「ボンジュール」が出なかったら「ハロー！」でも「こんにちは」でも「メルシー」でもなんでも良いので笑顔で返しましょう！

④　仲間をアピール、「ビズと握手」

さて、みず知らずの人たちとの挨拶も、気持ち良い一日を過ごすために忘れてはいけませんが、今度は知り合いとの挨拶です。先にも述べましたが、ヨーロッパでは分かりやすくジェスチャー付きで挨拶をすることで仲間であることをアピールします。

それが握手や、bise＝ビズというホッペにチューです。

左右のホッペにチュッとしますが、地方によって数が違ったり、本当にブチュッと唾がつくくらい濃厚なビズをしてくる人もいれば、ほっぺたとほっぺたを合わせながら、チュッチュッと音だけ出す場合もあります。どうやら庶民的な階層ではブチュッとしてきますが、ブルジョワ層ではサラッとした「エア・ビズ」が多いようです。

プライベートで、人に紹介された時などは「Enchanté.＝はじめまして」と言いながらビズをします。友人の友人、恋人の友人の家族に初めて会う時などです。

フランス全土の大部分が左右1回ずつ、計2回ですが、1回のみ、3回、最大4回までありますす。地方によって回数が違ったり、人によって右からだったり、左からだったりしてややこしく、たまにニアミスで口と口が触れそうになることも。

もともとは、久しぶりに会う親しい友人や家族の間で交わす挨拶だったそうですが、今では毎朝ビズをする仕事場もあります。男女の違いもあり、初めて会った男性は、女性にビズをしますが、男性同士は握手、というのも観察の結果分かりました。

男性同士のビズは、家族や、本当に仲の良い幼馴染みの間のみ。

確実にビズをすると分かっている場合は良いのですが、するのかしないのか分からないシチュエーションもあって、これが難しいのです！

例えば大人数が集まる時。パーティに呼ばれて、会の始まりの方に着いたら、呼んでくれた友達とパートナーにはビズをしますが、すでに10人くらい人が集まっている場合は「皆さんこんにちは〜！」と手を振るだけ、10人以下の場合はビズをすることもあります。

基本的に決まりはなく、その場の雰囲気で良いのですが毎回戸惑います。

私が大混乱するのは、仲良しのご近所さんです。もちろん朝の出勤時に階段ですれ違ってもビズはしませんが、たまたまパリの街中ですれ違った時になんとなく反射的に頬を差し出してしまった。向こうがほんの一瞬戸惑ってビズをしてきた、ということがあり、家に帰って「アタシのことビズ魔だと思ったかな⁉」とお父ちゃんに聞くと、「それはアウェイで会ったから良いんじゃないかな」とのこと。

もう大混乱です（笑）。フランス人でも「ビズする？　しない？」と確認する場合もあります。そこまで言ったら、ほとんどの場合はするものですが。したくない場合は、先手を打って頭を下げるとか、肘を出す（コロナ禍で発明された挨拶法で、肘と肘をくっつけ合う）ようにしています。フランス人でもビズが嫌いで、風邪をひいているふりをする人もいるくらいです。

私も20年以上この習慣に苦手意識を持ってきましたが、コロナでいざなくなってみると、なんだか寂しいものです（笑）。おフランスはブチュッと菌と菌を交換し合うカルチャーです。抱擁やチューで愛情表現をするラテンの文化の国です。

コロナになっても、挨拶をする時に肘と肘をタッチしたり、足と足をタッチしたりして、どうしてもボディタッチをしないと気がすまない光景を見ると面白いなあと思います。

フランス人の心をつかむ日本食メニュー

日本では、というより、私の実家では家に人を呼ぶことはほとんどありませんでした。「ホームパーティ」という響き自体、映画の中でみる一場面という感じでしたが、フランスに住むようになって、人を家に招待したりされたりする習慣が、実はレストランやバーやカフェで人に会うのと同じくらい、もしくはそれ以上に一般的だということを知りました。もちろん、その家庭や社会階級によって、何が振る舞われるのかは違ってきますし、お家に呼ぶ理由もいろいろだと思いますが、共通して言えることは、「家でリラックスして好きなだけおしゃべりできる」ということだと思います。

私たちくらいの中流階級の人間にとっては外食費の高いフランスで、週に1回レストランに行くなどというのは、かなり贅沢ですので、友人と会うからといって毎回レストランというわけにはいきません。といった経済的な理由もありますが、やはり誰かの家でおつまみやお酒を持ち寄って、アペロをしたり、頑張ってディナーをこしらえたり、歌って踊ってのどんちゃん騒ぎだったり……いろいろですが、目的はとにかく「楽しい時間を過ごすこと！」。住み始めの頃は、フランス語もまだ片言で、まーとにかく早口でいろいろな話題が次から次へと飛び交うという集まりがけっこう苦痛でした。いつまで経っても帰らないし（笑）。

我が家のホームパーティは「日本の肝っ玉母ちゃんが、お腹いっぱいご飯を食べさせてくれる会」です。お洒落な飾り付けなどできないし、我が家は食器もグラスもバラバラです。とにかく家を最低限片付けて、招待した友達を満腹にすること！　フランス人の友人にお洒落なフレンチを提供するなんて無理がありますし、向こうも期待していません。ということで、決して料理上手ではない私がフランス人の友人たちに振る舞う簡単な日本食メニューをご紹介しましょう。

①　手作り餃子

餃子さえ作れば、怖いものなしです！　フランス人に、今一番人気の「日本食」は焼き餃子でしょう。中華の餃子というよりも、日本風の、ラーメン屋さんの焼き餃子です。子どもから大人まで、みんな大好き。最近初めて会った人に「日本人か？」と聞かれて「そうです」と答えると「日本が大好き！　餃子は作れる？」と聞かれました（笑）。日本といえばお寿司ですが、例えばお父ちゃんの両親の世代の方々はどうしても生魚に抵抗感があるようです。

日本食がフランスでもかれこれ20年前からブームですが、やはり海苔は黒いから嫌だとか、出汁の味が苦手だとか、お豆腐の食感が嫌だとか、緑茶はほうれん草の味だとか、想像を超えた拒否反応を示す人もいます。美食の国とは言われますが、一般的にはけっこう好き嫌いが多いなと感じます。そこで、やはり全世界にいろいろな形や材料で存在する餃子は万人受けする料理の代表です。ということで、家に人を呼ぶ時はとりあえず手作り餃子を出せば「つかみはＯＫ」です。

② から揚げ

餃子と並んでフランス人の心をつかむ一品といえば、から揚げです。パリ市内に数軒ある日本のお弁当屋さんが最近大変人気を博していますが、一番人気はから揚げ弁当。から揚げ専門店もあるくらいです。「から揚げとポテトサラダ」なんてお弁当の定番メニューですが、これほど安全なチョイスはありません。から揚げとポテトサラダに、色鮮やかなチラシ寿司（イクラや錦糸卵、フランス人が大好きなスモークサーモン《激安スーパーLidlはお得でなかなか捨てたものではない》をのせたもの）を出せば、インスタ映えもして大喜びです。

子どもの誕生日会のメニューのようですが、それで良いと思います。下手に「和食の奥深さを知ってもらおう」と朝から煮物を作ったり、自分で一生懸命出汁をとっても、苦労が報われないことの方が多いです。私の周りには「食のエリート」がいないからかもしれませんが。平均的なフランス人を喜ばせたければ、小学生が喜びそうなメニューや、定食屋、学食にありそうなメニューを考えます（トンカツ、カツカレー、エビフライなどなどの揚げ物が安全)。

③ お好み焼き

もう一つ、万人受けする日本の家庭料理がお好み焼き。とにかく中濃ソースがあれば怖いものなしです(ただ、たこ焼きは「たこ」が嫌いな人も多いので要注意)。それに、最近は日本のようなキャベツも普通にスーパーで買えるようになりましたし、豚の薄切り肉もパリなら手に入ります。中には豚肉の塊を買って冷凍し、巨大なハムのスライサーを買ってお家で薄切り肉にするツワモノもいらっしゃいます。山芋もオーガニックのスーパーで売っていることもありますが、ズボラな私はパリのオペラ座の日本食品店でお好み焼き粉を買ってしまいます。

家にホットプレートがあれば、フランスのラクレットのようにテーブルでわいわいお食事できるので、とても好評です。お好み焼きを「日本風クレープ、またはガレット」などと言うと、抵抗感も少ないようです。そして、毎回フランス人が「おー!」と驚くのは、「踊るカツオ節」。焼きたてのお好み焼きにカツオ節をかけて、湯気でゆらゆらするのを見て皆さん感動します(笑)。ただ、万人受けしそうなお好み焼きも、青のりやカツオ節というみたことのない食材に懐疑心を抱く子どもも多いので、お好み焼きは子ども連れのファミリーの時には避けます。

生きていくうえで欠かせない「カフェ」

ここで話は変わりますが、フランスといえば、カフェ。

カフェを語らずしてフランスを語ることなかれ。フランス人にとってカフェは生きていくうえで欠かせない空間です。

朝から夜までオープンしていて、「ちょっとひと休憩しよう」と思ったらフラッと入れて、喉の渇きを潤す、トイレを借りたいからサクッとコーヒーをカウンターで飲む、食事をする、一人時間をゆっくり楽しむ、誰かと待ち合わせをする、商談をする、利用目的はさまざまです。

基本的に日本人の私たちは「カフェ」という言葉を聞くと、お洒落な空間でお洒落で美味しい飲み物やスイーツを味わえる、「女子会」や「デート」など特別な時に利用する場所をイメージさせると思うのですが（少なくとも20年前はそうでした）、カフェの本場おフランスには、町のオジサンたちがたむろして、ビールやワインやパスティスを片手に競馬やサッカーの中継を見ながら大騒ぎするようなお店も多くあります（笑）。

だいたいそういうカフェは、タバコ屋さんが併設されていて、床には競馬や宝くじのクジが散らばっていたり、一昔前はタバコの吸い殻だらけでした。そんなオジサンの溜まり場のカフェから、サンジェルマン・デ・プレのお客より偉そうな態度の（嫌な思い出が多いので根に持っています）、蝶ネクタイのウエイターがいる高級カフェまで、いろんなカフェがあり、そのカフェの雰囲気に溶け込んだ常連客たちがいます。

『おフランスの日常に欠かせないフツ〜のカフェ活用術』というYouTube動画の中でもお話ししたのですが、もともとカフェは、「Café コーヒーを飲めるところ」です。17世紀にトルコの大使によってもたらされ、ヴェルサイユ宮殿で人気を博していた「黒くて元気が出る飲み物」を一般人にも提供するようになったお店です。

パリのオデオン駅近くにあるLe Procopeは17世紀に創業したカフェで、一度閉店して大衆食堂などになりましたが、現在は割とお高めのレストランになっています。18世紀には、啓蒙主義と呼ばれるディドロ、ヴォルテールやモンテスキューといった人々によって熱い議論が交わされた場所。ザクッと言うとそれまではキリスト教の教えや国王の言うことを無心に信じていた世の中でしたが、「いやいや人から言われたことを鵜呑みにしないで、現実世界をよく観察して、自分で考える力を身につけようよ！」と説いた人たちです。彼らの新しい思想は、フランスを革命という旧世界の崩壊へと導きました。このカフェは、ベンジャミン・フランクリンがフランスのアメリカ独立支援のための条約をしたためた場所だとも言われます。つまりカフェでの熱い議論から世界が変わったわけです。

飲食店であるカフェですが、「そこで何を飲むか、食べるか」はそれほど大事なことではありません。もちろんコスパが良くて、美味しいに越したことはありませんが、美味しい飲み物や食べ物であれば、自宅でもレストランでも良いのです。カフェの存在意義は、一人で行こうと、大勢で行こうと、他人同士がそれぞれの時間を同じ空間で過ごすということではないかと思うのです。

誰かと過ごすためのカフェ

フランス語が理解できるようになってから、生活面で楽になったのはもちろんですが、なんといっても映画が字幕なしでも理解できるようになったこと、そしてカフェで交わされる会話が分かるようになったことで、フランス生活がさらに楽しくなりました。

しかも「アジア人の旅行客」だと思って油断されるので、生々しい裏話がボロボロ出てきます。聞こえないふりをして聞きながらほくそ笑んでいる、かなり怪しい人物ですが、これくらいの特権があっても良いかなと思います（笑）。

ラテン語の諺（ことわざ）「In vino veritas. ＝ワインの中に真実がある」の通り、酒気の入ったフランス人たちの饒舌なことといったらありません。映画や舞台に脚色されたベストセラー『Brèves de comptoire（直訳は「カウンターの小話」)』という、パリをはじめ、フランス中のカフェで盗み聞きした会話集があるのですが、フランス人のユーモアや、関心事などを知ることもでき、生きたフランス語の勉強にもなって非常に面白いです。フランスに来て、フランス語を勉強・習得したいのなら、私は図書館よりカフェをお勧めします。カフェほど、生のフランスが凝縮された空間はないと思うからです。

一人でカフェ時間を過ごされる方の中には、もちろん仕事の休憩や待ち合わせ時間のために「外に出ていないといけないのでやむを得ず」カフェにコーヒーを飲みに来るという方もいらっしゃいますが、ゆっくり本や新聞を読んだり、最近ではテレワークをしたりする人も増えました。なぜザワザワしたカフェへ、コーヒー1杯で何時間でもいられるとはいえ、お金を出してまで家でできることをしに来るのでしょう?

私の場合は、「人に囲まれていることが好きだから」です。人の活気を感じるのが好きだからです。昔から集中したい時は、図書館などシンとしたところは苦手で、受験勉強はアメリカの懐メロがBGMでかかっている某ドーナツチェーン店でしていました。赤の他人でも、人がいるところで一人になるのが好き。要は寂しがりやなんです。

大勢でカフェに行く時は、それぞれ自分の飲み物代を払えば良いので、誰かの家に押しかけずに、それぞれ好きなものを注文できるといった理由もありますが、やはり家にはない開放感があります。

わざわざカフェでテレビのサッカー観戦

大事なサッカーの試合がある日は、皆さん自宅で観戦するよりも、近所のカフェで知らない人たちも交じって皆で応援します。これもまた家にはないambiance＝雰囲気を楽しみたいから。フランス人は大きなイベントは、みず知らずの人も交えて一緒に楽しむのが大好きです。歓声も3～4人の「お～！」よりも50人の「うお～！！！」の方が盛り上がります。

コロナのロックダウンで「知らない人たちと同じ空間を分ち合う喜びと自由」を奪われた時、私もフランス人もそれがどれだけ日常に欠かせないものだったかを痛感しました。ロックダウンが一部緩和され、デパートやブティックは営業しているのにカフェやレストランは閉業のままという時期もありましたが、外に出る気もしませんでした。

ブティックで散財することが大好きなはずの私も、まったく気が乗らないのです。もちろん万が一外出して、「用を足したくなってもどこにもトイレがない」という生理的な問題もありましたが（笑）、すべてのカフェから灯りが消えた時は「生の光」が消えたかのようでした。「A地点に行き、B地点に行って帰宅する」だけの外出しか許されなかった、寄り道が許されなかったあの悪夢の数か月間、閉塞感で息がつまりそうでした。それは人生もまた同じだと感じます。寄り道も、遠回りも、予定外の出来事もない、みず知らずの人々と至近距離ですれ違うこともない人生など何の面白味もないと、私は思います。日々の生活の中でも「ちょっとした空き時間ができた」とか「ちょっと一息つこう」と思った時に腰を落ち着けることができるカフェがあちこちにあるからこそ、「flâner＝目的もなくブラブラする」こともできるのです。自由な時間を楽しむ時、カフェはなくてはならない存在です。

コーヒー1杯で、テレビドラマよりドラマチックな人間劇場を盗み聞きしたり、人物ウォッチングやファッションチェックをしたり、本や新聞を読んだり、書き物をしたり、テレワークをしたり……。カフェは誰にも何も言われず、誰かと一緒でも一人でも、一見生産性のない時間を堪能することができる空間です。私はせかせかするのが嫌いです。日本では「ダラダラするな」とよく叱られたものですが、そう言われると余計にダラダラしたくなったものです（笑）。

映画でよく使われる、自分は普通の速さで動いているのに、自分を囲む世界は2倍速・3倍速で動いているという効果がありますが、まさにあの感覚でした。ところがフランスだと「ダラダラ」とは言われず「détendu＝肩の力を抜いた、余裕のある」というポジティブな態度にとられるのですから、本当にこの国は私の性に合っていると思います（笑）。

ダラダラすることも、一見生産性がないことに時間を費やすことも、生きることを楽しむためには大事だということを、フランス人から学びました。彼らがバカンスをとらず、カフェでのんびりしたり、アペロで時間を忘れておしゃべりする時間を仕事に費やしたら、国のＧＤＰは2倍になるかもしれません。でもそれは、フランス人というアイデンティティを捨てることになります。「生きることを楽しむ。生きることに時間を割く」、これがおフランスだと思います。自分の悩みや心配事をいったん忘れて、腰を落ち着かせて、一息つく。ひと時の精神的なバカンスを可能にしてくれるカフェは、日常生活をも楽しもうとするフランス人のアイデンティティそのものなのです。

私が愛するパリのカフェ

一般にパリをイメージする時、必ず頭に浮かぶのはこんなカフェの風景ではないかと思います。ベレー帽姿の素敵なパリジェンヌが、カフェのテラスで長細い脚を組んで座っている。白いシャツに黒い蝶ネクタイのウエイターが、カフェオレをサーブしにやってくる。タバコを吸いながら新聞を読むムッシュ。丸いテーブルに、ラタンのカフェチェア……。テラスのひさしにはフランス語の店名「Au bon vieux café」なんて書いてあったり……。そんなインスタ映えするようなカフェをみつけることは、実はとっても容易なことです。パリという町には探さなくても、パリらしさはどこにでもあるからです。

でも、私が好きなカフェは、そういういかにもお洒落なカフェではありません。

有名なサンジェルマン・デ・プレの、昔文芸人に愛されたカフェたちは今もセレブを顧客としますが、そういった場所は素敵なインスタ用の写真を撮りたい方のみお連れいたします。伝説のカップル、サルトルとボーヴォワールがそのサンジェルマン・デ・プレの有名店2軒を、プライベートと仕事用に使い分けていたように、その時会う相手や時間帯、気分によって、パリジャンはカフェを使い分けます。

私も、女友達（もちろん岡魔先生も入りますが）とおしゃべりして、素敵な空間も楽しみたい、といったカフェと、一人で長居して本を読んだり、ぼーっと道ゆく人を眺めたり（母親となってからはそんな時間も稀ですが）するカフェ、お仕事前にサクッとコーヒーを立ち飲みするカフェ……。特にモンマルトルは私の心の故郷。今でも住んでいるかのように徘徊していますが、北モンマルトル、南モンマルトルそれぞれに用途の違うカフェがいくつかあります。

その中でも一番の行きつけはLa Fourmi というカフェです。

モンマルトルきってのＢＯＢＯ（Bourgeois Bohème の略称、いわゆる「ブルジョワ・ボヘミアン」。２０００年代に作られた言葉で、従来のブルジョワ富裕層とは違い、経済的に裕福であってもあえて高級住宅地に住むのではなく、活気のある界隈に住むことを好む若い世代の富裕層で、多くは親族から相続したアパルトマンなどを所有し、ライフスタイルも、高級感よりもセンスを優先する30代〜40代のパリジャン）御用達の商店街マルティール通りとマルグリット・ド・ロシュシュアール大通りが交差するところにある、外から見ると薄暗く、タバコの煙で黄ばんだようなセピア色の壁、Zinc（亜鉛製）の典型的な昔ながらのカウンター……。パッとみて、いかにも「わ〜素敵！　インスタ映えする！」というカフェではないかもしれません。

カフェの目の前にはLe divan du Mondeという劇場（19世紀にはLe Divan Japonaisと呼ばれたミュージックホールで、オープン時のロートレックのポスターが有名です）、マルティール通りをさらにのぼると、ドラァグクイーンのショーで有名なMichouもありますし、マルグリット・ド・ロシュシュアール大通りにはBoule noirやLa Cigalleという、こちらも19世紀から存在するコンサートホールもあり、有名なバンドや歌手のコンサートがある日はファンたちが昼から列を成していることもあります。やはりこのモンマルトルは、夜の街です。コンサートの前後には、La Fourmiでハムやチーズの軽食をとりながら、一杯飲む若者たちで溢れ返ります。私がこのすぐ隣に引っ越したのも、このガヤガヤした雰囲気が好きだったからです。

私とお父ちゃんの結婚式の後も、数人の友人とこのカフェでビールやワインを遅くまで飲みました。周りはみんなラフなジーンズスタイル。私は深緑に背中開きのロングドレスで、お父ちゃんはスーツにハンチング帽。日本なら居酒屋にドレス姿で現れた……といったところでしょうか。もちろん誰にも何も言われないし、視線も感じません。この何でもありな雰囲気が、私は大好きです。

そんな夜の賑やかさとは対照的に、朝は人も少なく静か。日中の客層は夜と違って近所の常連さんがほとんど。カウンターに置いてある『Le Parisien』紙を「Je peux ? = 良いですか?」と拝借し、お天気の良い日は外のテラスへ。「Un crème et un croissant, s'il vous plaît. = カフェ・オレとクロワッサンください」と自分が座る席を指差しながら注文して座る。まだ眠たそうなお店の若者が、クロワッサンとカフェオレを「Voilà madame. = どうぞ、マダム」と運んでくる。

クロワッサンをカフェオレに浸しながら、大きな口を開けて、ちぎらずにそのままかじる。これからお仕事に向かう人たち、早めに活動する旅行者たち、けだるそうにリセに通学する若者たち……道行く人たちを時々眺めながら、パリのローカル新聞を端から端まで斜め読みする……たまにそんな時間に恵まれると、パリの日常にいながらもバカンス気分を味わえる、最高に贅沢なひと時です。

店内は朝から深夜までずっと薄暗いのですが、私はこの程良い薄暗さが好きです。そして決してお洒落ではなく、木のテーブルも落書きだらけ。隅っこの席で、カフェの雑音を聞きながら、本を読んだりするのも大好きです。常連さんと店員さんの挨拶や、周りのテーブルの会話が聞こえてきたり、BGMも懐メロだったり、最近の流行りの曲だったり、若い店員さんたちの好みがうかがえて微笑ましいのです。

私はよくここでキッシュやcroque monsieur = クロックムッシュ、plat du jour = 本日の一品のランチをとります。9~10€とお値段もローカル客を対象にしています。決して感動する美味しさではありませんが(慣れてしまいましたので)、とりあえず冷凍ではない自家製のfrites=フライドポテトとサラダがついたクロックムッシュが10€以下なので、満足できます。

ここはモンマルトル人の元夫と定期的にランチやお茶をしたり、一人で読書をしたり、編集作業をしたり、フランス人の友人と会ったりする時に使います。ある意味、自分の居間か書斎のような場所です。よくバーの横の暗いソファ席の陰に妖怪のようにヒッソリ座っています。「コーヒー1杯で何時間でもいられる」というのは伝説ではありません。何時間いてもそっとしておいてくれます。よく行くカフェでは「Comment ça va ?=元気かい?」と挨拶をしてくれますが、こちらから話しかけなければずっと放っておいてくれます。この距離感、個人の自由を尊重するおフランスのお国柄を感じられる空間なのです。

3章

バカンスのために働き、バカンスのために生きる

10か月働いて
2か月休む。
おフランスの
リアルバカンス事情

海辺のバカンスといえばムール貝（右上）。バカンスはロゼワイン（左）、パリジャンの人気バカンス地、レ島（下）。

1

2

1.初めての「コロ」に出発するアンナ6歳。2.「コロ」に出発する娘を、今生の別れのように見送るお父ちゃん。

キャンプ場での
バカンスルーティン

3

4

5

6

3 朝一番に、キャンプ場のプールを独り占め。4. 早起きしてエピスリーで焼きたてクロワッサンをゲット。5. テラスで朝ごはんが、バカンスの至福の時間。6. 午後はビーチでひたすらのんびり。

1

2

3

1. 地元のマルシェで、新鮮な魚介類や野菜が手に入る。2. 夏はフルーツ三昧。桃やメロン、スイカなどを買い出し。3. 夕食は、海鮮盛りやバーベキューにして、手抜き調理でいただく。

フランスの人気
バカンスエリアMAP

3大人気エリアといえば、南部のコートダジュール、プロヴァンス、コルシカ島。比較的観光客が少なく狙い目なのは、北西部のブルターニュ、大西洋沿岸です。P173〜参照。

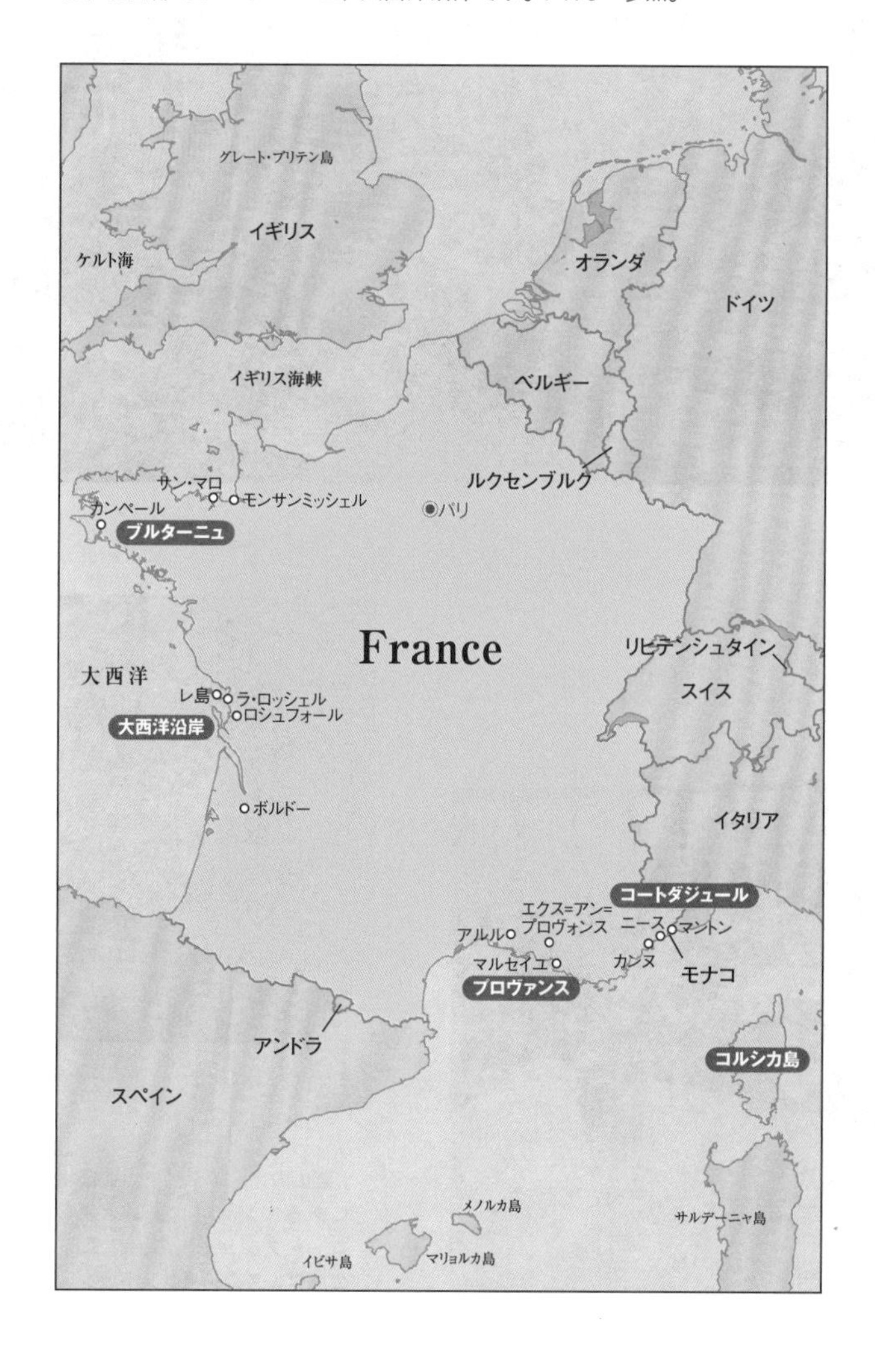

1

2

3

1.南仏の光、イタリアとの国境にあるマントン。2.透き通るコートダジュールの海。3.鷲の巣村エズの絶景レストラン。

4

5

6

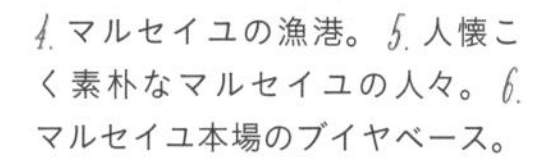

4. マルセイユの漁港。5. 人懐こく素朴なマルセイユの人々。6. マルセイユ本場のブイヤベース。

1

2

3

1.コルシカ島へはマルセイユやニースから船が出ている。 2.コルシカ島のエメラルドブルーの海。 3.コルシカ人が「命がけで守る」という雄大な自然。

4

5

4. ブルターニュといえばガレット（そば粉クレープ）。5. のんびり読書もバカンスの楽しみ。6. 見渡す限り広がるレ島のビーチ。

6

フランス人が勝ち取った「神聖な権利」

バカンスを語らずして、おフランスを語ることはできません。

「フランス人はバカンスのために働き、バカンスのために生きている」とよく言いますが、パリに住み始めて間もない頃、まさにその言葉が証明される体験をしました。夏休み真っ只中の8月のある暑い午後、ノートルダム寺院があるシテ島がお隣の島サン・ルイ島の有名な老舗アイスクリーム屋さんでアイスを買って、食べながらセーヌ河岸のお散歩をしようと思って行くと、アイス屋さんのシャッターが下りていて「バカンスにつき閉店」という貼り紙があるではないですか！「えっ⁈ 夏休みのかき入れ時にアイス屋さんが閉店⁈」と度肝を抜かれるとともに、まさにその時私は「これがおフランスという国なんだ！」と実感しました。「これ以上稼ぐ必要はないから閉める」「バカンスのために一年働いている」ということなのです。何もかも年中無休で手に入ることが当たり前の日本からやってきた私には衝撃でした。ここに「人生は楽しむためにある！」というおフランスの哲学があると、体内に電撃が走りました。

おフランスの有給休暇は5週間。そしてきちんと、まるまる5週間休みます。

とらないと、会社から「休暇をとってください」と言われるのですから、日本から見れば空想小説の世界のように聞こえるかもしれません。皆バカンスをとるので、お互い様、当たり前のことなので「ご迷惑おかけしますが、バカンスに行って参ります」と頭を下げる必要は、もちろんありません。「ご迷惑おかけしました。つまらないものですが……」とお土産を持っていくこともありません。日焼けした肌を誇らしげに見せながら「あ～、楽しかった！　また次のバカンスまで憂鬱だわ～！　頑張りましょうね～！」というノリで、休み時間にバカンスのお土産話をするくらいで、「誰もが謳歌することができる当然の権利」として定着しているのです。

フランスでは、ドイツなどに後れをとりつつも１９３６年に、すべての労働者に2週間の有給休暇が与えられるようになりました。そして１９５５年に自動車メーカーのルノー社が社員に3週間の有給休暇を与えた影響で、翌年の１９５６年に一般化、１９６９年には4週間、そして遂に１９８２年に5週間にまで延びました。

２０００年には、労働時間が週39時間から35時間に短縮されましたが、ほとんどの企業では、法改正以前の39時間制を保っているので、超過分の3週間を休暇にすることができるわけです。これがＲＴＴ（Réduction de Temps de Travail＝労働時間短縮）というシステム。このＲＴＴを祝日や週末とくっつけて、「あ～ら10日間のバカンスのでき上がり」ということも可能なわけです。例えば4月のイースターの2週間のバカンスが終わった後すぐに、5月1日のメーデー、8日はヨーロッパの戦勝記念日などの祝日が続くのですが、祝日と週末の間を休んで連休にする「Pont＝橋をかける」という技があります。例えば祝日が木曜日か火曜日なら、金曜日と月曜日にRTT休みにしてしまうというもの。驚きなのが、有給休暇の社員だけでなく、学校も閉まるということ！

祝日があまり関係ない仕事をしている我が家では「え？　学校ないの？」と毎回ギリギリになって焦ります。社員の皆さんは、会社によっては年間8週間の有給休暇をとることができますが、学校のお休み（vacances scolaires）はというと、まずは2か月の夏休みがあります。

ヨーロッパの隣国に比べても非常に長い夏休みなのですが、これには農業大国おフランスならではの歴史的背景があります。2か月の夏休みが制定された1939年には、フランス人の3人に1人は農業に従事していましたので、7月～9月の小麦、ブドウの収穫期には子どもたちも刈り入れに参加できるようにという農家からの要求があったからなのだそうです。

そして、夏休みが明けて新学期が始まったと思ったらあっという間に10月末には秋休み、12月末はクリスマス休み、2月は冬のスキー休み、4月はイースター休み、と2か月に一度は2週間のバカンス、つまり1年のうち16週間はバカンスなのです。8週間有給休暇があっても、とても追いつきません。では共働き家庭が多いフランスで、子どもたちはどうしているのか？というと、ちゃんと解決策があります。

困った時のパピー＆マミー

我が家のように共働き家庭の強い味方は、パピー＆マミー（おじいちゃん＆おばあちゃん）。実家が地方の場合は、子どもたちに都会を離れてキレイな空気を吸わせることができるので、バカンスのたびに田舎のパピー＆マミーの家に送ります。我が家もお父ちゃんの両親がノルマンディの海辺に住んでいるので、娘が小学生になってからは定期的にお世話になっています。しかしながら義理の両親は、二人とも60歳でリタイヤして以来、リタイヤ人生を謳歌するのに忙しく、ほぼ家におりません。キャンピング・カーでフランス中、ヨーロッパ中を旅したり、冬になると温暖な北アフリカに避寒バカンスに出かけてしまうので、孫の相手はあまりしてくれないのです……（笑）。

「体が自由に動くうちに満喫する！」と元気いっぱい楽しんでいて、彼らをみていると老後に希望が持てるのですが、休みのたびに孫を催促するパピーとマミーがいるお家が羨ましいなと思うことも正直あります。長い夏のバカンスの間の半分は実家に子どもを預け、後から合流して1〜2週間帰省するというパターンも多いのですが、義理の家族との関係によりけりなので我が家の場合は娘だけ預け、義理の両親の家に泊まるのは年に2〜3日が限界です（笑）。

「ソントル」と「コロ」

しかしながら田舎の実家があてにできないご家庭ももちろん多いので、その場合はどうするかというと、学校が休暇中にcentre de loisirソントル・ド・ロワジールやCentre Aéréソントル・アエレ、通称「ソントル」と呼ばれる学童保育所になるので、そこに子どもを預けます。

朝7時半から夕方18時半まで、お遊戯をしたり、図工をしたり、映画を見たり、プールに行ったり、遠足に行ったり、公園や遊園地や美術館に出かけたりと、日替わりでプログラムが変わるので退屈はしません。学童保育は有料ですが、給食と同じで料金は家庭の収入によって変わるスライド制になっていて、パリ市の場合は昼食込みで1日0・47€〜26・30€まで10段階に料金が設定されています。

日中学校に行く時間帯に預けるソントルの他に、colonie de vacancesコロニー・ド・ヴァコンス通称「コロ」という1週間〜2週間の臨海・林間合宿もあります。6歳から17歳まで、国内だけでなく、海外旅行にも連れていってもらえ、サーフィンやボディボード、シュノーケリング、山では乗馬やバギー、お料理教室、英語の強化合宿など、バリエーションに富んだテーマがあります。私は世の中がバカンスの時に働くガイドという仕事を始めてからは、夏のバカンス期間も長い休みはとれませんでした。なんとか家族で1週間〜10日間の休暇はとるようにし、パピー&マミーの家に預けても、まだまだ1か月は残ってしまうのです。

日本では家族旅行なんて一年に一度できれば良い方で、私自身は幼い頃に日本で両親と旅行した記憶はありませんが、フランスでは「バカンスに行けない子どもほど可哀想なものはない！」という風潮なので、残りの1か月をずっと学童保育に預けることが可哀想になり、娘が6歳の時に初めてコロに行かせました。

「6歳で、知らない子どもたちと一緒に1週間も合宿？」と、正直心配で最初は反対でしたが、「俺が小さい頃は、休みになればソントルかコロだった！　家族旅行じゃ体験できないことも盛りだくさんで、楽しかったぞ！」というお父ちゃんに説得されて泣く泣く「アルプスのキッズ村で乗馬（ポニー）とお菓子教室」というコロに登録。小さなスーツケースを持って、不安げにバスに乗り込む娘を泣きながらみ送りました。ところが初日は電話で「寂しい」と泣いていた娘も、翌日からは「朝ごはんがバリエーション豊富で最高！　これからお夕飯だから、またね！」と手短に電話を切られるくらいエンジョイしてくれていました（笑）。一緒に過ごす時間が少なかった後悔もある半面、小さい頃から保育園に入り、学童保育にも慣れているおかげで、人見知りをせず誰とでも仲良しになれる娘になってくれたことは、良かったのかもしれません。

バカンスのスケジュールや行き先は、各家庭の予算、家族構成、両親の職種などによりさまざまです。セレブなご家庭の夢のようなバカンス話も遠い噂で耳にしますが、ここでは私の周りにいるごく一般的なフランス人家庭、日仏家庭のケースをお話しいたします。

日仏家庭の場合は、夏休みの2か月まるまる日本に帰国、もしくは半分は日本の実家、半分はフランスの義理家族の実家というお家が多く、長い夏休みの帰国中に日本の学校に体験入学をする日仏ハーフのお子さんもたくさんいらっしゃいます。駐在でいらしている方やセレブな方々は別として、誰にも頼まれていないのに住みついた私のような海外在住組は、こつこつ毎年の帰国のために帰省貯蓄をしています。別の章でもお話ししましたが、毎年何十万の帰省費は、フランスで平均的な収入のパートナーと、平均的な生活をしていると大きな負担です。

どうしても毎年必ず帰国したいという友人は、帰省費のためだけに働いていますし、バカンスといえばパートナーの実家か日本と決め、他に旅行には行かないという家もあれば、我が家のように、ヨーロッパやフランス国内でもバカンスを過ごしたいので、帰省は2年に一度程度という家もあります。

ちなみに、ほとんどの日仏家庭は夏休みに帰省をしますが、我が家は真夏の帰国は避けています。カラッとした、ほとんどクーラーがいらないヨーロッパから、30万円の飛行機代を払って灼熱の日本に帰る、という選択肢はございません。2年に一度の大イベントなので、過ごしやすい時期を選んで帰ります。

それぞれのバックグラウンドによって祖国日本とのつながり方も、帰省の頻度や時期も変わってきますが、フランス在住の日本人は、ありあまるバカンス日数のおかげで他国の海外在住組よりも、お金さえ工面すれば帰省しやすいということは救いかもしれません。

フランスは移民大国ですから、「バカンスといえば帰省」というルーティンは日仏家庭に限られたものではありません。世界中から移住してきた人がいますが、特に近隣国のスペイン、ポルトガル、イタリア、ギリシャといった国に2〜3週間帰省をする皆さんは、膨大な帰省費用もかからないうえに、フランスよりもリーズナブルなリゾートにサクッと行けるので非常に羨ましい限りです。

「実家がどこにあるか」でバカンス大国フランスでの運命が左右されます。友人の旦那さんの実家は南仏にあり、広々としたプールがあり、1か月間そちらでのんびり過ごしています。夏が来るたびに羨ましくて仕方がなく「あ〜、南仏出身の旦那捕まえればよかった〜！」と毎年ボヤくのですが、お父ちゃんには「あ〜、イタリア出身の嫁さん捕まえればよかった〜！」と返されます。これからフランス人のパートナーを探そうと思っている方には、ぜひ相手の出身地を聞いておくことをお勧めいたします（笑）。

4人家族の平均バカンス費用、約23万円

バカンス大国おフランスですが、宿泊費がかかる家族旅行は、夏の場合でも平均1～2週間ほどのようです。8週間の有給休暇をすべて旅行に費やすような贅沢者は、私の周りには閻魔先生くらいしかおりません（笑）。平均的なフランス人家庭の夏のバカンスの費用は、4人家族で1700€だそうです（2022年11月現在、1€＝140円で、約23万8000円）。

夏のハイシーズンのリゾートでホテルや民泊に泊まろうとすれば、1週間最低でも1000€は覚悟しないといけませんので、1700€だと、かなりキツキツだなあと思ったのですが、やはり宿泊費の節約のために、「地方に住む友人や親戚宅にお邪魔する」という「居候型バカンス」もかなり多いのだそうです。そんなアンケート調査の記事を読んで「まあ図々しい！」と思いましたが、そういえば我が家もあちこちの友人宅にお邪魔していました（笑）。「遊びにおいでよ！」とは言うけど、本当に行っても良いものなのか最初は疑問でしたが、おフランスでは「おいで」と言われたら「行くっきゃない！」そうです。

確かに地方に住む友人宅には、必ずと言って良いほど「chambre d'amis＝ゲストルーム」があり、独立したシャワーやトイレが完備されているお家も少なくありません。広いお庭にプール付きという豪華なお家に住む人もいますが、地方に行けばそのような豪邸も、狭い我が家のアパルトマンよりも安く購入できてしまうのです。まさに今コロナ禍で、パリのアパルトマンを売り払って、田舎に豪邸を買うパリジャンたちの「exode = 脱出」が話題になっています。

パリジャンたちが移住してきたせいで、地方の不動産が急激に高騰し、地元の人たちがマイホームを買えなくなってしまったということで、ますますパリ以外に住むフランス人たちの「パリジャン・ヘイト」に拍車がかかっています。

話はそれましたが、「ぜひ泊まりに来てね！」というお誘いは社交辞令であって、「本当に来たよ！」と思われているのではないかと、毎回ヒヤヒヤするのですが、せめてお邪魔している間に日本食でも振る舞おうと、マイカーがまだ生きていた時代は、炊飯器、日本米、カレールー、寿司の素と海苔、餃子の皮などを持参してお邪魔していました。カツカレーやサーモンとアボカドの巻き寿司、焼き餃子を作れば、大変喜んでもらえます。もちろん招待してもらった時は、買い出しに行ったり（大食いの我が家の場合はここが大事）、レストランでご馳走したり、プレゼントを贈ったり、お邪魔したお家によってお礼の仕方を試行錯誤します。お邪魔した後に縁を切られたことはないので、それで大丈夫なのかなと思っています（笑）。

「居候型バカンス」の他に、豪勢なお屋敷の民泊を仲の良い家族同士や親戚でシェアするバカンスも、ホテルよりも安く滞在型バカンスを楽しむ手段です。例えば豪勢なプール付きのお屋敷でも、数家族でシェアすれば各家庭でホテルに滞在するよりもリーズナブルに、ゴージャスなバカンスを過ごせます。いつも一緒にバカンスに行くメンバーが決まっていて、「来年もよろしく！」と同じお屋敷を予約して帰る人もいるようです。つまり、有給休暇をとるタイミングが1年前から決まっているということです（笑）。

一度パリのセレブなご家族のバカンスに、ひょんなことから招待されたことがありました。南仏モンペリエから数キロのところにある、10部屋以上あるお屋敷をご家族（ご夫婦と、その3人の息子さん家族で計10名）でシェアされていたのですが、「部屋が余っているからおいで」と言われて、ノコノコお邪魔しました。

門から玄関まで車で1〜2分という、お城のような豪華な民泊だったのですが、おそらく18世紀後半の建築で天井が高く、アンティークの家具や肖像画がずらりと並ぶ長い廊下の先にトイレがありました。夜になると月明かりに照らされた肖像画が動き出しそうで、一人でトイレに行くのが本当に怖かったです（笑）。どうも庶民の私には落ち着きませんでした。このご家族は毎年同じようなお屋敷を借りて、家族で2週間のんびり休むのだそうですが、私は週末だけ居候し、毎日特別なことをするわけでもなく、普段と違う場所で、仕事のことは一切考えずに普通の生活をする、というおフランスのバカンスを初めて体験させていただきました。

もう一つ「バカンス大国ならでは！」の驚きの発見が、セカンド・ハウスを持っている方が非常に多いということ。セカンド・ハウス、別荘なんていうと、日本ではものすごいお金持ちの特権というイメージですが、おフランスでは一般庶民でも普通に持っているのです。セカンド・ハウスといっても、農家の一部をリフォームしたこじんまりしたシンプルな「小屋」のようなものだったり、パリでは借家だけど別荘は持ち家で、学校のバカンス期間以外はエアビ（Airbnb）で貸している、という人もいます。遺産相続した田舎のお家を、親戚一同で所有・管理していて、順番に滞在するというお話もよく聞きます。

バカンスのたびに旅行をして、民泊を借りたり、ホテルに泊まったりするよりも「お得」なんだそうです。「毎回同じところに行くのもつまらないのでは？」と思ってしまいますが、おフランスのバカンスの目的は「旅行や気分転換」もありますが、「休むこと」第一！　これがまさに「おフランスのバカンスの特徴」です。

8月は国中が機能停止

8週間の有給休暇のうち、多くの人は夏に最低1週間、長くて3週間の休暇をとります。

フランスの年度始まりは9月ですので、新しい年が始まる前に心身のバッテリーをチャージするのが目的です。ところで2か月の夏休みのうち、「7月に休むか、8月に休むか」は「バターは無塩か有塩か」と同じくらい盛り上がる議題で、「aoûtiens（8月派）とjuilletistes（7月派）」という言葉があるくらいです。統計的には8月に休暇をとる人が集中するのですが、一番の理由はやはり「8月の方が暑い」というお天気の問題で、これは近年の気候変動で毎年ロシアンルーレットだなと思います。「バカンスから帰ってきて新年度までまだ1か月あるのが嫌だ」「楽しみは後にとっておきたい」という心理的な理由もありますし、「取引先が8月に休暇だから仕事にならない」と連鎖反応で休むという理由もあります。

というわけで8月はフランス中が充電期間に入り、国全体が一時停止します。大統領も大臣たちも、この時期にしっかり夏休みをとるのです。大統領は「Fort de Brégançon（ブレガンソンの要塞）」という地中海の小さな岬にある大統領官邸で夏休みを過ごす伝統があります。1960年代のポンピドゥー大統領は、なんと2か月の夏休みをとっていたそうです。しかも、読書をしたり、詩を書いたり、緊急事態でなければ邪魔をしてはいけなかったという完全な休暇。平和な時代もあったものです。2022年に再選を果たしたマクロン大統領も約1か月ブレガンソンに滞在されますが、外国の首脳を招待したり、テレワークをしたり、バカンスとはいえ忙しいスケジュールは変わらないとか。さすがにコロナやら、黄色いベストやら問題山積の今の時代に、デッキチェアに寝転がって2か月過ごしていたら暴動が起きるでしょう。

というわけで大統領もバカンスに行ってしまう8月のパリからは、パリジャンたちが消えます。「ウザったいパリジャンがいない8月のパリは最高だね」と言って、あえて8月はパリに残るというひねくれたパリジャン、もしくは外国人旅行者しかいません。8月は通勤者が激減するので、メトロやバスの本数も減り、冒頭にお話しした老舗の人気アイス屋さんのような「もう充分稼いだ」という人気店は、8月15日前後に1〜2週間閉店している場合があるので要注意です。

庶民のバカンスは「キャンプ場」を目指す

さて、セレブな海外在住者のイメージを壊す、一般庶民でありフランス人かぶれした私の夏のバカンスをご紹介したいと思います。先にも述べましたが、我が家は「予定は未定」の生活。確実なのは、子どもの夏休みの日程のみ。どうやって穴埋めをするかは毎年変わってきますが、「夏休みにバカンスに行けないほど惨めなものはない」おフランスですから、我が家でさえ最低1週間でもどこかへ息抜きをしに出かけるように努めています。

私にとって「ザ・おフランスの庶民の夏休み！」は、camping＝キャンプ場。夏のバカンス期間中はヨーロッパ中の庶民がキャンプ場へと繰り出します。フランスの大衆映画、その名も『CAMPING』

は、庶民的なキャンプ場での夏休みを描いたコメディで、シリーズ化されるほど大人気ですし、テレビでもキャンプ場が舞台となったドラマ『Camping Paradis』がお茶の間で16年前から放映されています。私はくだらなすぎて見たことないですが（どんなにかぶれていても、フランスの大衆的なジョークには笑えません）、人気の長寿番組のようです。

実はそんな映画やドラマのイメージから、家族連れが群がる、何の色気も風情もないキャンプ場またはバカンス村と呼ばれる施設には近寄りたくもありませんでした。そもそも「家族連れに人気」、「〜ランド」という名前がつく場所が放つ大衆的なオーラが苦手でした。バカンスといえば美しい村や歴史ある町、美術館などを訪れて、素敵なホテルや民泊に泊まって、美味しいレストランで舌鼓をうつ。そんなものだと決めつけていたのですが、娘が小さい頃に大西洋の人気のバカンス地、オレロン島のキャンプ場に泊まって以来、「これぞ夏休み！」とすっかり魅力にハマってしまいました。

キャンプ場の3つの宿泊タイプ

1　一番リーズナブルなテントを張るタイプ

広いキャンプ場の敷地内にテント用のスペースがあり、そのスペースを週借りするというものです。

トイレやシャワーは共同。共同のキッチンスペースはありませんが、各自自炊用のコンロやバーベキューグリルを持参します。夏のバカンス期間中は、簡単な食事で済ませることが多いですし、そもそも普段からフランスの庶民は驚くほど簡素な食事で満足します。毎日パスタにバター、トマトときゅうりをかじって、フルーツを食べておしまい！という感じです。キャンプ場内にレストラン（ピザやハンバーガーなど軽食を出すところが一般的）もありますが、これはたまの贅沢のようです。

2 キャンピング・カーの駐車場を借りるタイプ

キャンピング・カーは、コロナ禍でさらに人気が沸騰し、今フランスでは空前のキャンピング・カー・ブーム。義理の両親のキャンピング・カーは、なんとシャワー、トイレ、簡易キッチン、ベッド、テレビまで装備された、まさに「動くマイホーム」。お値段もマイホーム並みのものもあるくらい相当な投資のようですが、バカンスの多いフランスでは「すぐに元がとれる」そうです。このタイプは、キャンピング・カーの駐車スペースと、給水・給電などの料金を払います。キャンピング・カーは、好きな場所に好きな時に駐車できる自由なバカンスの過ごし方というイメージもありますが、夏はキャンピング・カーお断りの駐車場も多いですし、強盗に入られるケースもあるようなので、やはりキャンプ場のスペース借りが一番無難なのだとか。

中に簡易キッチン、シャワーとトイレが完備されています。最近では、木の上に建てられた小屋や、モンゴルの遊牧民の住居ユルトなどの変わり種も人気です。我が家がキャンプ場を利用する際はこのコテージを1週間〜10日間ほど借ります。必ず小さなテラスと庭がついていて、普段はアパルトマン暮らしの我が家にとっては、簡素な作りでもバカンス感満載なのです。

3 モビル・ホーム、またはコテージと呼ばれる仮設住宅タイプ

キャンプ場は一般庶民のバカンスのスタンダードとなっていて、バカンスが近づくと、必ずテレビのニュースで「キャンプ場の予約状況」が報道されます。庶民的とはいえ、夏休みの一番高い時期は、2つ星か3つ星の庶民的なキャンプ場でも週1000〜1200€、4つ星以上のハイグレードなキャンプ場だと、コテージで2000€は覚悟しなければいけない場合もあり、雰囲気のあるホテルや、風情のある民泊の方が安い場合もありますが、あえてキャンプ場を選ぶ家族が多いのは、やはり滑り台付きプールや遊技場、キッズクラブといった子どもが喜び、親が子どもから解放される（ここがポイント）という「真のくつろぎバカンス」を楽しめるからではないかと思います。

そしてキャンプ場の魅力は、民泊やホテルと違って、フランス語でいうところのconvivial（コンヴィヴィアル＝他の人たちと楽しむ）な雰囲気、他のお泊まり客との触れ合いがあるというところです。毎年同じキャンプ場を予約して、毎年顔を合わせるうちに仲良くなって家族ぐるみのお付き合いが始まる、なんてこともあるようです。同年代の子どもたちもキャンプ場で友達をみつけて、子ども同士

で遊んだり、思春期の子たちは恋に落ちたり（笑）。この期間限定のご近所さんとの短い交流、バカンス地ならではの解放感の中で垣間（かいま）みえる人間模様が、キャンプ場を舞台にした映画やドラマが作られる理由なのかもしれません。

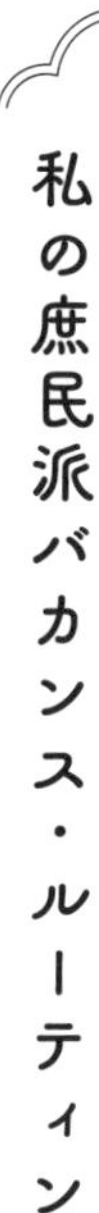

私の庶民派バカンス・ルーティン

さて、ここで私の【おフランス庶民流バカンス・ルーティン〜キャンプ場の巻〜】をご紹介したいと思います。私のバタバタのカオスな日常生活にはなく、海辺のキャンプ場で過ごすバカンスの時だけ確保することができるのが「ルーティン」というものです。ルーティンがあることこそ、バカンスなのです。

まず朝はゆっくり起床。

といっても年齢とともに遅くまで寝ていられなくなったので、バカンス中でも遅くとも7時半には起きています。せっかくバカンスなのに、寝坊ができなくて損した気分ですが、放っておけばお昼まで寝ていられる二人を残して、ビキニ↓タンクトップ↓ジーンズの短パン↓モヘアブレンドのザックリしたカーディガンの順に着替えます。バカンス先、特にキャンプ場ではお洒落はしません。素敵なセザンヌのワンピースなんて着て歩いたら浮いてしまうので、いつも自分で古いジーンズを切った短パンにタンクトップの「裸の大将ルック」、もしくは筒形の楽ちんなワンピース、その下に常にビキニを着ています。

私たちがキャンプ場を利用する際はいつも大西洋岸なのですが、地中海沿岸と違い朝晩はかなり冷え込むので、真夏でも真冬のセーターは欠かせません。ボサボサの髪を適当にまとめ、洗顔↓日焼け止めの後、サングラスでノーメイクの平たい顔を隠し、キャンプ場のエピスリーにパンを買いに行きます。キャンプ場のエピスリーは小さな食料品店。コーヒー、ミルク、お砂糖、ジャム、パスタやお米、ワインやビールなどの必需品の他に、日に何度か近くのパン屋さんから配達される焼きたてのパンも買うことができます。早起きオバサンは、ここで焼きたてのバゲットと、クロワッサン（寝坊するとなくなってしまう）と、ローカル新聞を買います。

キャンプ場でも、民泊でも、ホテルでも、バカンス先で朝起きたら、朝ごはんと同じくらい楽しみにしているのが、太陽とローカル新聞です。

大量のコーヒーを丼大のカフェオレボウルに入れて、高い松の木の間からさす柔らかい朝の太陽の光をぬくぬく浴びて、鳥のさえずりを聞きながら、コテージのテラスで新聞を端から端まで読む（求人欄や不動産の広告まで）、という朝の静かな時間を一人でゆっくり楽しみます。これが私の大好きな、贅沢なバカンスのルーティンです。このテラスで朝のコーヒーというルーティンは絶対に欠かせないので、夏のバカンスでは民泊でも、どんなに狭くても、必ずバルコニーかお庭付きの宿泊施設を選びます。

カフェインを大量摂取した後は、プール・タイム！

実は我が家がキャンプ場を選ぶ理由は、娘が楽しめるプールがあるからではなく、キッズクラブに預けられるからでもなく、お母さんが泳げるプールがあるからです。

10時頃になると子どもたちがワイワイやってくるので、日課である1時間クロールを泳ぐために、朝早い時間にプールを独り占めします。ひと泳ぎしてコテージに戻り、二人がのんびり朝ごはんを食べている間に、私は朝のシャワーを浴び、水着と一緒にTシャツや下着を手洗いします。

「普段と違う場所で、特別なことはしない日常生活を送る」のがおフランスのバカンスですので、ちゃちゃっとですが料理、洗濯、掃除もします。薄いTシャツや下着などは手洗いでも、お昼頃には乾いています。キャンプ場にはコインランドリーもあるのでたまに利用しますが、バカンス先ではおフランス流にタオルなども1週間の滞在なら日干しですませます。コテージの砂を箒ではいたり、さっと掃除をしたら、まずは自転車で海に繰り出すか、マルシェに向かいます。

私は普段はほとんどマルシェで買い出しはしませんが、バカンスの時は別です。あまり凝ったお料理はしませんので、マルシェではサラダの材料やオリーブなどのおつまみ、果物、チーズやハム類、バーベキューの材料、プレ・ロティ（鶏の丸焼き）、生牡蠣、マヨネーズと一緒に食べるボイルした海老や貝、ワイン蒸し用にムール貝などを買ってすませます。夏休み中の海辺のマルシェは、地元の人やvacanciers（バカンス客）で賑わって、とても活気に溢れています。

マルシェでお買い物をした後に、テラスで冷たい飲み物を飲みながら、道行く人々を観察する！これも大好きなバカンスのルーティンです。

その後は、お昼の時間。

マルシェに行った日は、大量のサラダを作ります。きゅうり、トマト、ピーマン、などなど生野菜とお米やパスタ、チーズ、オリーブ、ゆで卵などを混ぜて、マスタードとワインヴィネガーやレモン、オリーブオイルのヴィネグレット・ソースをかけた簡単なものを2〜3回に分けて食べます。そして夏に必ず買うものといえば、メロン！

私はあまり果物を進んでは食べないのですが、夏は大西洋岸シャロント・マリティーム県産のメロンと、南仏産の桃とネクタリンという大好きな果物が出回るので、これを1年分大量摂取します。フランス産のメロンは、夏は1個1€くらいとてもお手頃価格で、マルシェでは「2個買えば3個目がタダ！」ということもあるので、買い出しのたびに2〜3個はカゴバッグに入れます。私はあまり特技はないのですが、嗅覚は発達しているので、食べ頃のメロンを選ぶのは大得意です。マルシェでもスーパーでも、片っ端からメロンを手に取ってくんくん臭いを嗅ぎます。冷蔵庫を開けると、メロンの香りが漂ってくる……。これも夏の風物詩です。

さて、バカンス中はお昼にもアペロです。アペロについては別章で語らせていただきましたが、フランス流のart de vivre（暮らしの芸術）には、社会的ステータスも年齢も関係なく、なくてはならない大事な習慣です。

お昼のアペロで軽く一杯飲み、サラダ、パン、チーズなどの軽目のランチを済ませたら、ビーチでお昼寝、または読書タイムというパターンがほとんどですが、昼食後（もしくは朝から）少し遠出をして、近くの村や名所を観光することもあります。フランスの素晴らしいところは、どこへ行っても名所・旧跡があること。全国に49か所の世界遺産が散らばっているので、海にいても山にいても、少し車を走らせれば19世紀の灯台、18世紀の海の要塞、ルネッサンス期のお城などの歴史的価値のある建造物や、「フランスの美しい村」に登録された村々、大自然の景勝……と名所・旧跡巡りができてしまうのです。

午後、観光をしない場合は、私はほとんど海辺で読書という贅沢な時間を楽しみます。

パラソルの下でパナマ帽をかぶり、サングラスをかけ、ポッコリお腹も気にせずビキニ姿で（フランス人女性は、年齢や体型を気にせずビキニを着ますし、トップレスで日焼けをする方も多いです）、ビーチ用の座椅子に座って本を読みます。大西洋岸、特にブルターニュ半島からスペイン国境に南下する海岸は、果てしなく広い砂浜が広がり、風もあるのでとても爽快。パラソルで直射日光を避ければ何時間でもゴロゴロできます。

ビーチには夕方までいるので、必ず冷凍しておいた水や、ネクタリン、マドレーヌ、ポテトチップスといったおやつをクーラーボックスに詰め込んで午後はのんびり過ごします。

満潮が近づいて、ビーチが狭くなったらコテージに帰る時間。

帰宅したらもちろん、夕方のアペロをしながらバーベキューの準備の始まりです。フランス人はとにかく外でご飯を食べるのが大好き！　晴れていれば真冬でも日向ぼっこをしながらベンチや地べたに座ってサンドイッチを食べている人の姿を見かけますし、気温が上がるとセーヌ河岸に座って、ポテトチップを食べながらビールを飲んで何時間でもおしゃべりをします。

コロナ禍のロックダウンで、田舎に引っ越しをするパリジャンが増えているとお話ししましたが、その延長でバーベキューグリルが飛ぶように売れているそうです。バーベキューの楽しみは、お肉やお魚が焼けるのを待ちながら、アペロを楽しんでワイワイおしゃべりができること。夏になると、パーティ好きのフランス人は「待っていました！」とばかりにバーベキューグリルをガレージから出してきて、毎週末のようにバーベキュー・パーティをします。

アパルトマンに庭がない我が家にとって、これはバカンスならではの楽しみ！　バーベキューや、プランチャと呼ばれる鉄板焼き器で、ソーセージや、仔羊、豚肉などをハーブと塩コショウで簡単に味付けしたものや、マルシェで売っているマリネした串焼き用のお肉を焼いて、サラダと一緒に食べます。マルセイユで民泊を借りた時には、毎朝のように旧港で釣れたてのサバを買ってバーベキューにして、オリーブオイルとレモンとお醤油をかけて食べていました。大西洋岸のバカンスでは、大きなお鍋さえあれば手軽に作れるムール貝料理も頻繁に登場します。

以上がおフランスの一般庶民の「食べて、泳いで、読書して、たまに観光」という我が家の充電バカンスのルーティンです。日常を忘れ、精神も肉体もリフレッシュすること。これぞおフランスのバカンス。バカンスは、家族の絆を深める大切な時間。今はまだ親と一緒にバカンスを楽しんでくれている娘ですが、あっという間に親離れして、友達と一緒にいたい年頃になってしまうのでしょう。そうなった時に後悔しないためにも、思い出作りのために少しでも家族でのんびりバカンスを楽しむ機会を大切にしたいと思います。

フランス人に人気の3大バカンス地

フランスは生まれ持っての美しさと、その美しさを磨く努力を怠らない、自信満々の美人のようだと私は思っています。フランス語でおフランスはLa Franceラ・フランスつまり女性名詞です（ちなみに日本はLe Japon＝ル・ジャポンで男性名詞です）。東西南北に豊かな美しい自然と、その恵みを存分に生かしたグルメ、多様な文化や深い歴史の証言である建造物……。それらを保存・継承していくための努力を惜しまず、「世界一美しい国」と胸を張るのです！
というわけで、お勧めのリゾートは枚挙に暇がございませんので、ここではフランス人に最も人気の3大バカンス地と、特に私がお勧めしたい大西洋岸のリゾートについてお話ししようと思います。

① プロヴァンス・コートダジュール

3大バカンス地の一つは、もちろんPACA（Provence-Alpes-Côtes d'Azur）と呼ばれる地域圏、特にコートダジュールです。夏になると、カンヌからイタリア国境のマントンまでの60キロの海岸に、普段太陽光線に飢えた北のフランス人や海外からの旅行者が、憧れのフレンチ・リヴィエラ目指して押し寄せます。

おフランスで最初にバカンスに出かけるようになったのは、もちろん貴族や大富豪の皆さんです。19世紀の産業革命後、鉄道が開通してから、ヨーロッパ中の上流階級が旅行を楽しむようになりました。現在でも世界中に名を轟かすおフランスのリゾートの高級ホテルやレストラン、そしてエルメスやルイ・ヴィトンといった高級旅行鞄のブランドが誕生した背景には、この鉄道網の発展がありました。19世紀の上流階級の皆さんは、冬は暖かい南仏やイタリアの地中海沿岸の「リヴィエラ」と呼ばれる避寒地へ、イースターから初夏にかけては上流階級の「シーズン」なので、ロンドンやパリの都会に集まります。確かにパリは春の新緑のシーズンが一番、目にも美しく、過ごしやすい時期です。

夏は19世紀の鉄道開通で開発され、ココ・シャネルが初めてカジュアルウェアを売る店舗をオープンしたノルマンディのドーヴィルなどの避暑地へ、秋はロワール地方やパリ郊外の森で狩猟……という風に季節ごとに優雅に移動していました。

ニースの「英国人の散歩道」は、お天気の悪いイギリスの冬を避けて滞在するようになった英国人富裕層の発案・出資のもと、19世紀に整備された遊歩道、というのは有名なお話です。19世紀～第一次大戦までの「第二帝政期」「ヴィクトリア王朝期」そして「ベル・エポック」と呼ばれるこの時期に、ヨーロッパが目まぐるしい勢いで近代化していく中で観光業が生まれたのですが、この当時の華やかさを今でもうかがい知ることができるのが、「フレンチ・リヴィエラ」とも呼ばれるコートダジュールです。

このヨーロッパ中が浮かれ騒いだ時代に、次々と貴族・大富豪の豪邸が建設されていきました。私のYouTube動画『夏休みVlog日記』でご紹介したVilla Ephrussi de Rothschilde＝エフルッシ・ロチルド邸は、現在も一般公開されていて、紺碧の地中海を見下ろす庭園を散策しながら、当時の豪華絢爛な宴に思いをはせることができる必見スポットです！　今でもコートダジュールには、一年中世界中から旅行客が訪れますが、言うまでもなく夏はフランスで最も混雑するリゾートです。私は混雑が嫌いで予算もないので、フランスに移住してからというもの、夏にコートダジュールを訪れることはなく、プロヴァンス地方、特にマルセイユにしか行ったことがありませんでした。コートダジュールの華やかすぎるイメージが苦手でずっと避けてきたのです。

ところがガイドのお仕事を始めて間もない頃、長期のサービスで6月後半~7月にかけて、コルシカ島、プロヴァンス、コートダジュールをご案内したのですが、まだ夏休みの混雑期に入る前の「フランス南部まるごとの旅」が、まさに夢のような体験だったのです。コートダジュールの魅力は、何よりも温暖な気候と「光」です。ルノワールやマティス、シャガールなど多くの芸術家を魅了した理由が本当によく分かりました。紺碧の海も、パステルカラーの建物も、何もかもが柔らかくてキラキラしているのです。この時期は毎日お天気が良く、水温もすでに20℃に達していますので、透明の地中海の海で優雅に海水浴を楽しむこともできます。その時はお仕事でしたので気が抜けませんでしたし、海水浴とはいきませんでしたが、初夏のコートダジュールの光の美しさに感動し、特に鷲の巣村エズのレストランからみ下ろす紺碧の海と、ロチルド邸があるサン＝ジャン＝キャップ＝フェラを照らす柔らかい、温かい光は脳裏に焼き付いて離れませんでした。

コロナで3回のロックダウンを体験し、長いトンネルを抜けて（少なくともフランスではそんな気分でした）、「明日はどうなるか分からない！　行けるうちに、あの感動を家族にも体験させたい！」という思いから、バカンスの混雑期にもかかわらず、失業中にもかかわらず、２０２１年に南仏の夏休みを決行いたしました。どうしても家族を連れていきたかったエズ村のレストランでの絶景ランチは、娘は「人生最高の体験」と、今でも前菜からデザートの細かい味付けまで覚えています。恐るべし食の記憶力！　そんな我が家にとって特別な夏休みを記録に残すことができ、またコロナ禍で海外旅行ができない時期でしたので、たくさんの方々に一緒にバカンス疑似体験をしていただけた『夏休みVlog日記』は、不器用な仕上がりではありますが、作って良かったな〜！と思えるシリーズ動画の一つです。

ＰＡＣＡ地方にはコートダジュールだけではなく、プロヴァンス（正確にはプロヴォンスと発音）のエクス＝アン＝プロヴォンスやアルル、アヴィニョンなど歴史ある町が有名ですが、フランス最古の町であり、ＰＡＣＡ地域圏の首府であるマルセイユはパリ以外のフランス国内で最も旅行滞在日数が多い町です。

日本からの旅行者が、ゴージャスでセレブでクリーンなイメージのニースに比べて圧倒的に少ないのは、「治安が悪い・汚い」といった悪評高い庶民的な町だからなのですが、私はマルセイユが心の底から大好きです。なぜかは分かりませんが、町と人との出会いというのは似ていて、フィーリングが合うと欠点も含めて愛さずにはいられなくなるのです。ハッキリ言って、悪評通りのところもある町ですが、シャルル・アズナヴールの有名な歌『世界の果てに』の中にあるように「太陽の下では、貧しさもましに思える」のです。イタリアでいうとナポリのような、雑多でちょっと怖いけど、美しい自然と太陽と海があって、さまざまな人種が交差してきた歴史があって、人情味に溢れていて、美味しいものがあって……。複雑な問題は山積していますし、マルセイユっ子たちも不満を訴えてはいますが、「マルセイユで生まれたらマルセイユで死ぬ！」という誇りを持って生きています。（いらない注釈かもしれませんが）友人の岡魔先生も、一度怖い体験をしていますが、それでも同じマルセイユ好きです（彼とは妙に好みが似ています）。一度この町の魅力に取りつかれると、本当に何度でも行きたくなり、どんなに不便でも住みたいと思ってしまうのです。外からやってくると、ハードルが高い部分もたくさんありますが、エクス＝アン＝プロヴォンス、アルルなどのプロヴァンスの名所へのアクセスも簡単なのであわせて一度は訪れていただきたい魅力的な町です。

② コルシカ島

さて、南仏コートダジュールは日本の皆様にもお馴染みのリゾートですが、同じ地中海エリアにありながら、おフランス・リピーターでもあまり足を運ぶことがない「未開の地」があります。それがフランス人に大人気のコルシカ島です。コルシカ島は、イタリアのサルデーニャ島の北に位置する島。「L'île de la beauté＝美の島」の名の通り、私はフランスで最も美しい場所は、このコルシカ島だと思っていますし、「コルシカ島民魂」には、なにかビビッとくるものがありました。14世紀にジェノヴァ共和国に征服され、18世紀にフランス王国に編入されたナポレオンの生地で（ナポレオン誕生の1年前までジェノヴァ共和国領）、「常に征服されど、決して服従はせず」のフレーズで知られるように、地中海の戦略的な要所にあることから常に他国に侵略されつつも、独自の文化・言語、アイデンティティを守り続けた、一つの独立した国のような島です。

コルシカ独立運動の過激派による知事暗殺事件や、その犯人が「殺人者」ではなく「英雄」として崇められていたり、バカンス村が襲撃・放火されたといったことから、「島を侵略しようとする者は容赦なく追放する」という排他的なイメージがあります。実を言うと、「ナポレオンの島」というのはナポレオン・ブランドを利用したマーケティングであって、コルシカ島民の真の英雄はコルシカ独立戦争の指導者パスカル・パオリ（1725〜1807）という人物だということは、「陸のフランス人」の間でもあまり知られていません。

第二次大戦下、フランスで最初にナチス・ドイツ軍を撃退した地方であることからも、「島を、島民を守る」という不屈の精神、コルシカ人が生まれながらに持つ「使命感」を感じることもできます。排他的な怖いイメージがありますが、例えば自然公園に指定された美しい海岸へのアクセスに厳しい規制を設けるなど、彼らの「美の島の番人」としての使命感のおかげで今でも圧倒的な美しさが維持され続けているのです。

「陸のフランス人」から聞いていた排他的な、過激なイメージとは裏腹に、私は今まで訪れたフランスの地方の中で、これほど熱い人情を感じた場所はありません。先にもお話ししたフランス南部まるごとの旅で、コルシカ島を1週間ご案内した際のことです。「フランスの美しい村」に選ばれた村巡りをご希望だった年配の写真好きのお客様を、ある小さな村にお連れした時、突然お客様の姿が見えなくなりました。お連れ様とドライバーと一緒に村中をくまなく探しても見当たらず、「日本人観光客誘拐?!」という新聞のみ出しが脳裏をよぎり、「警察に通報しようか」と思ったその時、「あ〜ごめん、ごめん！」と笑顔で手を振りながら戻っていらっしゃいました。

村の人に「いい景色をみせてやるから来い」と誘われ、車で絶景ポイントに連れていってもらったのだとか……。ガイド歴の中で最もヒヤヒヤした経験ですが、ご当人はあっけらかんとして「親切な人だったなあ」とご満悦でした。ほっと胸を撫でおろしていると、突然村のおじいさんが「あ、この村にはあんたらの同郷人（アジア人の意）がいるぜ！　ほら、あの花がいっぱい咲いてる家だよ！ベトナムから来たんだ！」と声をかけてきました。「余所者でもコルシカを心底愛する奴はみんな家族だ。命がけでコルシカ人と同じように守ってやるんだ！」というそのおじいさんの言葉は今でも忘れられません。「命がけ」というあたりの熱さが勘違いされて「危険」な人たち扱いされるのかなあ、と思いました。そして私はその「熱さ」にビビッとくるものを感じたのです。「熱くて怖い」と思われることには、昔から身に覚えがありました（笑）。

このコルシカ周遊の旅の現地ドライバーもアルメニアからの移民だったのですが、彼も「僕はもうコルシカ人だ。コルシカ人として受け入れてもらったから、コルシカのために働くんだ！」と熱く語っていました。これまた第二次大戦中のお話ですが、ユダヤ人をナチス強制収容所に送還しなかったフランスの県がコルシカの2県だけだったという話も、「一度コルシカ島民になった人間は、命がけで守る」というおじいさんの発言につながるものがあると思いました。排他的だと悪評高いコルシカ人ですが、「コルシカを愛する人間は仲間、コルシカを汚す者は敵！」とハッキリしているからなのだと思います。先入観を持たず、上から目線にならずに、知らない土地を訪れることの大切さを身をもって体験しました。

さて、旅の楽しみは、こんな現地の人たちとの出会いと、なんと言っても食べ物です。コルシカ島は、イタリア料理とフランス料理を足して2で割ったようなものが多いですし、海の幸、山の幸を使った素朴なお料理が多く、食べ飽きることはありませんでした。有名なコルシカのヤギのチーズ＝brocciuを使ったチーズケーキ＝la fiadoneや、ハチミツ、イノシシ肉のシチュー、新鮮な海産物のパスタ、ウニ……。特に山の栗の実を食べて育ったコルシカの豚ちゃんの味わい深いサラミは、私がコルシカで一番愛する特産品かもしれません。

コルシカ島は、「地中海に浮かぶ山」と言われるように、山の頂上部分がぽっかり海から顔を出したような島で、平地がほとんどありません。島中の断崖絶壁をグネグネと細い道路が走りますが、現地人の皆さんは猛スピードでビュンビュン車を飛ばします。だからなのか、陸のフランス人は高速道路でコルシカナンバーを見ると恐れおののき、決して煽ったりはしません（笑）。レンタカーを借りる勇気がある方は、猛スピードの現地人の車と、たまに道路わきに現れるイノシシなどの野生動物に注意しながら、1週間ほどかけて島全体を回ってみてはいかがでしょうか？　コルシカ人たちが今でも命がけで守り続ける手つかずの自然や、美しく素朴な村々に感動して、一生忘れられない旅となるはずです。私のように免許のない方は、コバルトブルーの海岸沿いや雄大な山の中を走るコルシカ鉄道に乗って、ぜひ「美の島」を縦断してみてください！

③　ブルターニュ

フランス3大バカンス地の最後は、ブルターニュです。ブルターニュはフランスの北西部にある半島で、北は英仏海峡に面し、ノルマンディとの境にモンサンミッシェル（正確にはノルマンディ側にありますが）、半島の南には大西洋のガスコーニュ湾に面したフィニステール（フランス語で「地の果て」）県の県庁所在地で中世の街並が残るカンペール、一説にはエジプトのピラミッドよりも古いとされるカルナックの列石群、堅固な城壁に囲まれ、海賊の根城として、そしてカナダを発見したジャック・カルティィエの町として知られる港町サン・マロなど、名勝・旧跡が点在します。コートダジュールに比べると、華やかさと眩しい太陽光線に欠け、コルシカ島に比べると気温はかなり下がりますが、こちらもまた手つかずの自然、歴史を感じる街並や素朴な人々が魅力的です。

「ブルターニュ」は小ブリテンという意味。もともと大ブリテン、グレート・ブリテン島（ロンドンがあるイギリスの最も大きな島。日本でいうところの本州）の南西部に住んでいたケルト系民族ブリテン人が他民族の襲撃に遭い、向かいの半島に住みついたことから「小ブリテン」と呼ばれるようになりました。これが今もブルターニュに住むブルトン人のご先祖様。現在でもケルト語派の言語を話し、ケルト文化を継承するところというと、アイルランド、スコットランド、マン島、ウェールズ、コーンウォールといったブリテン諸島の地域が有名ですが、ブルターニュ地方は、フランスで唯一現存するケルトの地です。

ケルト人というのは、古代ヨーロッパ全体に住んでいた農耕民族で、古代ローマ語で「未知の人」という意味。フランスの文化には、ザクッと分けて二つの源流がありますが、一つはギリシャ・ローマの理論的で、直線的で、組織化された、どこか理屈っぽい文化です。神様も人の姿をしていて、「目にみえるものを信じる」人たち。

もう一つが自然を敬い、おそれた農耕民族の神秘的なケルト文化。こちらは「木の神様」「河の神様」といったように「自然界のあらゆるものに神が宿っている」と信じた自然崇拝の多神教で、「目にみえないものを信じる」日本の古来の考え方に近い文化です。かなり大雑把な説明ですが……（笑）。だからなのか……私の出会ったブルターニュの人たちには親日家が多いような気がします。単なる偶然かもしれませんが、古代から継承されてきた感性というのは、未だにそれぞれの民族のＤＮＡに残っていると私は信じています。

そんなケルト文化を今でも守り続けるブルターニュ地方は、フランスの他の地方と一線を画す「Brute＝粗削りな」素朴な魅力に溢れています。広大な緑色の野原が続くと断崖絶壁に辿り着き、目の前にはエメラルドグリーンの海……。同じケルト文化のアイルランド、ウェールズ、スコットランドのような、まさに「ケルトの伝説の世界」が広がります。

私のブルターニュとの出会いは、パリに住み始めた22年前。パリで最初に住んだ凱旋門の目の前のシェアハウスの大家さんは、お金持ちで親日家で日本に20年以上住み、自分と同じフランス人が大嫌いな変わり者でした。彼はバカンスといえば南仏ではなくブルターニュ派で、このおじちゃんの別荘に招待されたのが、私が最初にブルターニュを訪れた時でした。「俺の別荘に招待してやるぜ！」とおっしゃるので、すっかり南仏のパステルカラーの、プール付きの別荘を想像していました。

当時は「ブルターニュ」と言われても、どんな景色なのか想像もつかず、インターネットもあまり普及していない時代ですし、ガイドブックも家になかったので「別荘」と聞いて、単純に何かの映画でみた絵図を頭に思い描いていたのです。

実際に電車を乗り継いで到着したのは、小さなさびれた漁港。おじちゃんが漁港のガレージに預けてある、今にもバラバラになりそうな旧ソビエト製Lada社の１９７０年代のオンボロ車に乗って、セレブなはずのおじちゃんの別荘に着くと、その辺りから拾ってきたゴロゴロの石を積み上げて建てたような、コケだらけの古い農家で、私の背の丈もありそうな高さの雑草が生い茂ったお庭があり、周りは畑と野原、同じような石造りの素朴な家屋。そこに住むおじいちゃん、おばあちゃんたちは、道路に椅子を出して日向ぼっこをしながら、聞いたことのない不思議なブルトン語という言語で延々とおしゃべりをしていました。

豪華な海辺の別荘のプールサイドで、デッキチェアに寝っ転がってのんびり……を想像してきたのに、おじちゃんにお庭の雑草刈りをさせられる始末（笑）。最初はビックリして「な〜んだ！　想像と違うじゃ〜ん！」とガッカリしていましたが、畑と空、どこまでも広がる緑の野原と空、エメラルド色の海と空という、空と地面が建物や看板に遮られることのない「地平線」というものをここで初めてみたような気がします。「本当に何もない美しさ」「200年前にさかのぼっても、きっとこの光景は同じだったのだろう」と思わせるフランスの神秘的なド田舎との出会いでした。

しかし！　私を最も魅了したものは景色ではなく、食べ物です（笑）。人生で初めて食べたソバ粉のガレットは、ブルターニュのさびれた漁港の評判のクレープ屋さんでした。前菜、メイン、デザートすべてガレット&クレープのフルコース！　飲み物はもちろん、bolée ボレと呼ばれるお椀に注がれたリンゴの発泡酒シードルです（ブドウが栽培できないブルターニュやノルマンディでは古くからリンゴのお酒が飲まれてきました）。

ブルターニュの名産品の一つ、塩バターをたっぷり溶かしてカリッと香ばしく焼いたガレットに、卵やハム、チーズを入れた王道のcomplet＝コンプレを前菜に、メインはこれまたブルターニュ名物の強烈な悪臭を放つ臓物ソーセージandouille＝アンドゥイユと、生クリームと粒マスタードのガレット、デザートはこれも名物塩バターキャラメルソースの小麦粉のクレープ。ちなみに、ソバ粉の塩味クレープはgalette＝ガレット、小麦粉を使った甘いものはcrêpeクレープと呼びます。中世の十字軍によってもたらされたソバ粉（フランス語のソバ粉＝sarrasinは中世ヨーロッパ世界でイスラム教徒を指します）は、小麦よりも成長が早く、何度もブルターニュの人々を飢えから救ったのだそうです。そして、15世紀後半にしぶとく独立を守っていたブルターニュ公国の最後の君主アンヌ女公によって、無税の作物として栽培が奨励されたことも、ブルターニュの特産品となった理由だそうです。今では日本でもすっかりお馴染みのブルターニュの郷土料理ですが、ブルターニュの人々は本当にガレットばっかり食べています（笑）。この地方では、カフェの数よりもガレット屋さんが多いのだとか。他にも塩バターや、それを使ったクイニー・アマン、厚めのバタービスケットなど、これでもかという脂肪分と糖分が織りなす高カロリースイーツの素朴な味わい。

そして英仏海峡と大西洋に囲まれた半島ならではの海の幸も、ブルターニュを訪れる楽しみの一つです。私が初めてフランスで生牡蠣に出会ったのも、このおじちゃんの別荘を訪れた時。近くの養殖場で仕入れてきたバケツいっぱいの生牡蠣をわんこ蕎麦の勢いで堪能しました。

さびれた漁港の、さびれた民宿のレストランで食べた牡蠣にあたり、虫垂炎と陣痛と並ぶ苦しみを一度体験したことがあるのですが、トラウマにはなっておらず未だに生牡蠣とみれば飛びついています。フランスでは生牡蠣はbreがつく月、つまりseptembre（9月）、octobre（10月）、novembre（11月）、décembre（12月）が食べ頃だと言われますが、最近は一年中養殖場の美味しい牡蠣がパリでも食べられます。

私はレモン汁派で、レモン汁をかけた時に牡蠣が動くかどうか確認してから、ちゅるっと吸い込み、しっかり噛んで飲み込みます。これが牡蠣にあたらないテクニックなのだと教わりました。レモン汁の他にエシャロット入りのワインヴィネガー、ライ麦パンに有塩バターを塗ったタルティーヌを食べつつ、キリッと冷えた辛口の白ワインとともに頂きます。お酒に弱い私ですが、生牡蠣を食べる時は覚悟を決めていますし、酔っぱらっても良いバカンスならではの楽しみと言えます。

生牡蠣も我々日本人にとっては、馴染みやすい名産品ですが、なんとブルターニュでは、カツオ節や、近年の日本食・健康食ブームで、オーガニックのスーパーでも普通に売られるようになった「kombu = 昆布」も生産しています。

みどころ満載で、美味しいものだらけ、それに物価も他のバカンス地に比べればお安め、と良いところ尽くしなのですが、お天気が地中海に比べて不安定なのと、海水の温度が低いということがマイナス点ではあります。

ところがブルターニュ半島でもビスケー湾沿いの南部は、microclimat（微気候、局所気候）を享受した、フランス南部の日照時間に匹敵するお天気の良い海辺のリゾートなので、夏場はこの半島南部にパリジャンたちが集まります。実はこのビスケー湾岸全体に、フランス人には人気だけれども、多くの日本人にとっては未開のリゾートが点在するのです。

私の周りにいるパリジャンやノルマンディ人（お父ちゃんの幼馴染み）たちは、爽快で広々として、庶民的かつ落ち着いた雰囲気の大西洋岸でリラックスしたバカンスを好む人が多いです。

確かに南仏は憧れの地ですが、夏は世界中から旅行者が詰めかけますので、真夏のニースなどのコートダジュールの海岸は「イモ洗い状態」。コロナ禍で外国からの旅行者がまだ少なかった2021年の夏休みでさえ、ニースの海岸の人口密度には仰天いたしました。

その対応策として、「プライベート・ビーチ」なるものがあります。バーやレストランがビーチの一画に囲いを作り、そこでパラソルやデッキチェアを借りたり、食事や飲み物を注文するというものなのですが、この「お金持ちはエンジョイできる」というコートダジュールの雰囲気は、確かに私のような庶民には面白くありません（笑）。

というわけで、「せっかくリラックスするための夏休みなのに、わざわざ人が多いところには行きたくない」という我が家のような庶民の一般家庭は、広大な砂浜のビーチが続く大西洋のリゾートを選ぶのです。

特にガスコーニュ湾に浮かぶシャロント＝マリティーム県のレ島やオレロン島は、フランス有数のリゾートで、真っ白で素朴な家屋、砂浜の広いビーチ、気温も暑すぎず爽快。こちらもブルターニュのゲランド、南仏のカマルグに並ぶ塩の産地でもあります。レ島は、お洒落なパリジャンたちが多く別荘を所有することでも有名で、島民の数は約1万8000人ほどですが、夏季はその10倍に膨れ上がります。島中に自転車レーンが整備されているので、島内の移動はもっぱら自転車でした。我が家も娘がまだ小さかった時に、トレーラー付きの自転車をレンタルして毎日違うビーチを回ったものです。

このレ島には、大西洋岸で最も美しい港町と言われるラ・ロッシェルから橋を渡って、もしくは船で行くことができます。ラ・ロッシェルもまた大変魅力的な町で、水族館好きの娘と二人で週末旅行に出かけたこともありました。

古くからフランス屈指の商港として栄えた港町ですが、17世紀には血なまぐさい宗教戦争の舞台にもなり、18世紀にはボルドーやナントと並ぶ奴隷貿易の港の一つだった歴史を持ちますが、私にとっての大西洋のお洒落で、とてもフランス的な海辺のイメージといえばこの町なのです。というのも思春期にみた『冒険者たち』というアラン・ドロン主演の映画がとても印象に残っているからでした。この映画に出てくる海に浮かぶ要塞島「Fort Boyard」は大西洋きっての有名なモニュメントです。

アラン・ドロンから突然雰囲気が変わりますが、フランス版「風雲たけし城」、『Fort Boyard』というテレビ番組の撮影場所として大変有名です。元は大西洋岸の重要な軍港ロシュフォールを守る目的で19世紀に完成した軍艦の形をした要塞です（工事中に大砲が進化し、結局何の役にも立たなかった）。「ロシュフォール」という名には聞き覚えがある映画好きの方も多いと思います。そう、あのおフランスの国宝カトリーヌ・ドヌーヴと実姉のフランソワーズ・ドルレアック主演、ジャック・ドゥミ監督のミュージカル映画『ロシュフォールの恋人たち』の舞台です。偶然、隣町が舞台になった2本とも1967年公開の作品なのですが、大西洋岸の町の独特の潮風を感じることができる2本ではないかと思います。

映画といえば、ラ・ロッシェルでは初夏に有名な国際映画祭が開催されますが、カンヌとは違ってコンペティションがないのが特徴です。そしてフランスで最も大規模な野外音楽祭の一つで、フランスの現代音楽シーンを一気に把握することができるLes Francofoliesが開催されることでも有名です。この野外音楽祭もまた、夏のバカンスのお楽しみの一つ。好きな音楽祭を目当てにバカンス地を決めるという手もあります。オランジュの古代ローマ劇場跡でのオペラ祭り、マントンのジャズ祭りなど、さまざまなジャンルや規模の音楽祭が、毎年の恒例行事として各地で開催されます。

このラ・ロッシェル、ロシュフォール、レ島とオレロン島があるシャロント＝マリティーム県は、私の夏の主食メロンの産地としても有名です。港の屋台で釣れたてのイワシのバーベキューで、ちゃちゃっと食事を済ませるも良し、近くの養殖場の生牡蠣や海鮮盛りと白ワインという贅沢なディナーも良し、真夏でも夜は涼しくなるので、海風を感じながらテラスでココット鍋に山盛りに入ったムール貝のワイン蒸しとフライドポテトのmoules fritesを食べるも良し。幸せな港町、海辺の夜の過ごし方です。

さらに大西洋岸をスペイン国境まで南下していくと、有名なピラ砂丘がある有名人の別荘も多いアルカションから、19世紀にナポレオン3世の皇妃ユジェニーが愛したことから高級リゾートとして発展したビアリッツまで、果てしなく砂浜のビーチが続くサーフィンのメッカでもあります。なにせ2000キロに及ぶビーチ、5つの山脈を持つおフランスですから、私にも未開拓の海や山のリゾートがたくさんあります。

今回は、世界中の憧れの的、ゴージャスなコートダジュール、熱い島民に守られ続ける秘境の美の島コルシカ、粗削りで神秘的な魅力のブルターニュ、広々とした砂浜の遠浅のビーチとおフランス的な渋いエレガンスが漂う大西洋岸の港町や島……。それぞれの土地の光や、香りや味や、人々。思い出話は尽きず長々と語ってしまいましたが、まだまだページが足りません（笑）。世界一のバカンス大国おフランスに住む一般庶民が、どのようにバカンスを楽しんでいるのか少しでも雰囲気が伝われぱと思います。

4章

おフランスのリアルな食卓

美食大国の
普段の食卓は
いたってシンプル！

簡単でも必ず前菜→メイン→デザート＆チーズ。

2

1.日曜日のランチの定番、鶏の丸焼き。2.冬のホームパーティといえばラクレット。3.夏野菜のミルフィーユティアンはオーブンで焼くだけ。4.トマトとコーン缶でも立派な前菜の一品ができあがり。5.材料を入れて煮込むだけ。鶏のクリームソース煮。6.キッシュとサラダとスープで、ワンプレートディナー。7.デザート定番、コンポートとクリームのリエジョワ。8.こちらもデザートの定番、ヨーグルトとはちみつ。

4

3

6

5

ANONE
le nature
BRUYÈRE
L'ABEILLE NOIRE DE
FANTIN SCHMELTZ 06 76 83

8

ANDROS
Liégeois

7

庶民の普段の食事

美食大国として世界に知られるおフランスですが、一般庶民は毎日どんなものを食べているのか気になるところだと思います。「毎日マルシェに行って、新鮮な野菜や果物、お肉やお魚を買って、手の込んだお料理を作って、美味しいパン屋さんのバゲットとチーズとともに食べる」と想像されているのではないでしょうか。実は私も、友人たちが普段何を作っているのか、とても気になっていましたので、facebookで約50人に呼びかけてアンケートをとってみました。

以下、「平日よく作るものは何？」と「これぞおフランスという一品といえば何？」という質問の回答です。

① ナディアの食卓

ナディアは3人の女の子のお母さん。両親はアルジェリア系移民、彼氏はブルターニュ出身。週5日勤務。日本が大好きで日本語が少しできる。

前菜

- betterave＝ビーツのサラダ（酢とオリーブオイルでパパッと味付け）。
- ビーツが余ったら、ゆでたジャガイモ、ゆで卵とマヨネーズをつぶしたもの、エシャロットやピクルスを混ぜてサラダにする。
- アンディーヴのサラダ（英語ではチコリ。日本語ではその名の通り苦味のある「菊苦菜（きくにがな）」というキク科の葉っぱ）にクルミやチーズを入れたもの。
- モッツァレラチーズとトマトのサラダ。
- きゅうりのサラダ（ヴィネグレットソース）。
- キャロット・ラッペ（ニンジンの細切りサラダ、ヴィネグレットソース）。

メイン

- カリフラワーのグラタン（ベシャメルソースとチーズをかけて焼いたもの）とサラダ。
- グラタン・ドーフィノワ（ニンニクが効いたベシャメルソースとジャガイモを交互に重ねて、上からチーズをかけて焼いたもの）を、鶏肉やステーキ、ひき肉のステーキと一緒に。
- オムレツとパスタ。
- スープ（季節の野菜／ポワロ、ジャガイモ、ニンジンなどが一般的）。

・キッシュとサラダ（ナディアはベーコンと玉ねぎのキッシュ・ロレーヌが多い）。
スープや煮込み料理は、2日くらいもたせるそうです。

ナディアのピンクレンズ豆のスープの作り方

これは一度食べさせてもらって、美味しくて感動したスープです。

1. レンズ豆を水で洗い、2カップのレンズ豆に対して6カップの水をお鍋に入れる。
2. 薄切りの玉ねぎと一緒に、シナモン、こしょう、クミン、ターメリックなどのスパイス、トマトの濃縮ペーストをテーブルスプーン2さじもドボンドボンと投入。
3. 30分ほど火にかけて、ミキサーで滑らかにし、ココナッツミルクを入れ、塩で味付け。食べる時にコリアンダーとレモン汁をかける。

なぜか私が作ると同じ味にならないのですが……（笑）、彼女に作ってもらった時はとっても美味しくて何杯もおかわりをしました。パパッとできて、栄養分豊富なレンズ豆は、フランスの家に必ずある食品の一つだと思います。

ナディアの晩餐

・クスクス（3～4時間かけて仔羊を煮込む）。
・ラザニア。
・アシ・パルモンティエ（ひき肉を炒めたものの上にジャガイモのピュレをのせてチーズをかけ、オーブンで焼いたもの）。
・牛のほほ肉のワイン煮込み。
・牛の心臓の玉ねぎとスパイス煮込み。

ナディアの手作りデザート

・ファー・ブルトン（ブルターニュ地方のクラフティのようなもの。リンゴやプルーンを使うそうです）。
・タルトタタン。
・レモンタルト。

普段の夜のデザート

・果物。
・無糖ヨーグルト。

ナディアが気をつけていること

・市販のチョコムースなどのデザートは昼限定。夜は極力糖分を避ける。
・夜はパンを食べない。
・パンは白いバゲットではなく、全粒粉やマルチシリアルなど、食物繊維やビタミンの豊富なもの。
・甘い清涼飲料水は買わない。

② マリーの食卓

マリーは娘の親友のお母さん。2児の母で、銀行勤め。彼氏は南仏出身のフランス人。週4日勤務。

前菜

・冬場は生野菜の種類が少ないので、果物を前菜に（これは本当に時間がない時）。
・冬の前菜の定番、キャロット・ラッペ（レモンとオリーブオイルと塩味）。
・小さく切ったビーツのサラダ、コーン缶、サラダ菜。このどれかだけの場合もあれば3つ一緒の場合もあり。マスタード、バルサミコ酢、オリーブオイル、塩で味付け。
・薄切りにした黒大根が家族の大好物！　そのまま生で。

・夏場は毎日のようにトマトときゅうりが登場。

メイン

・冬場は頻繁に野菜のスープが登場（ジャガイモ、カボチャ、ポワロネギ等々）。
・蒸し野菜をたっぷり！（ブロッコリー、ジャガイモ、ポワロネギ、ニンジン、かぶ、夏場はズッキーニ）「素早くできて、美味しいから大好き！」なんだとか。オリーブオイルをかけて。
・毎日のようにパスタ（Barilla社のもの）！　スパゲッティ、コキエットと呼ばれる小さいマカロニ、リングイーネ、ファルファッレ等、形を変えて。バターやトマトソースをかけて。ケチャップをかけることもありますが、弟がケチャップ中毒なので、あまりかけないように注意しているとか。
・レンズ豆（赤か緑）、クスクス、ライス等。
・半熟ゆで卵（棒状に切ってバターを塗ったトーストを浸して）。
・ハム（スーパーで売っているもの）。
・魚の缶詰（オイル・サーディンやサバのオイル漬けなど）。
・ツナのオイル漬け（瓶詰になったもの。高いけど美味しいそうです）。
・魚のフライやコルドンブルー（普段にしてはご馳走！）。※コルドンブルーはハムや鶏肉にチーズを挟んで衣をつけて揚げたもの。家で作るのも簡単ですが、我が家もお肉屋さんで（ここ重要）

買って、冷凍しておくと、「冷蔵庫が空っぽ」という時に役立ちます。
- ごくまれに豚のロース肉、フィレ肉、牛ひき肉など。
- 週末はプレ・ロティ（お肉屋さんで売っている鶏肉の丸焼き）と、フライパンでエシャロットと一緒に炒めたジャガイモを食べることが多い。時間がある時は、自家製フライドポテトを作ります。

ニンジンのサラダが前菜で、デザートに近所のパン屋さんのケーキがあれば贅沢な食卓に！

チーズ

子どもたちはコンテ（ハードチーズ）が大好き。

デザート

- フルーツいろいろ。
- 無糖ヨーグルトにハチミツや砂糖を入れて。
- 果実の入っていないフルーツヨーグルト。
- 無糖のコンポート。
- まれにDanetteやLiégeoisのチョコレート味。Danetteは、スーパーで買える大人気のデザート。チョコレート、バニラ、ピスタチオ、等々いろいろな味のついたクリーム。Liégeoisはコーヒーまたはチョコレート味のクリームの上にホイップクリームがのったもの。私も幼少期にドイツで食べたことがあり、懐かしくてたまに食べます。

シャルルの晩餐（晩餐用の凝ったお料理はマリーの彼のシャルル担当）

- boeuf bourguignon（ブッフ・ブルギニョン／牛のワイン煮込み）。
- blanquette de veau（ブランケット・ド・ヴォー／仔牛のクリーム煮）。
- ポトフ。
- トマトの肉詰め。
- グラタン・ドーフィノワ。

マリーが気をつけていること

- 野菜は季節のものを食べるようにしている。
- お肉はお肉屋さんで買う。

③ ガエルの食卓

ガエルは2児の母。ナント在住。週5日、環境省に勤務。彼氏とともにブルターニュ地方出身。

・夏は生野菜、メロンやスイカなど、火を通さないものが多い。
・聖燭祭のクレープや、イースターの仔牛の肩肉など、キリスト教の祭事に食べるもの。
・鶏肉や野菜の中華風炒め（醤油とごま油などで炒めたもの）にコリアンダー。
・週末に作りだめして平日に何度か食べる煮込み料理は、チリコンカン、牛肉のワイン煮込みや、仔牛のクリーム煮など。
・最低週に1回、圧力鍋で30分でできる野菜スープ。

ガエルが気をつけていること

・環境省に勤務するだけあり、環境保全のために、季節の野菜やローカルな食材を食べるように気をつけている。
・冷凍食品などは、ほぼ食べない。

④　ソフィの食卓

ソフィはブルターニュ出身の5歳の男の子のシングルマザー。フリーランスでインテリア・デザインをしています。グルテンと卵のアレルギーの持ち主。

・冬は季節の野菜のスープとパンとチーズ、卵（息子だけ）、鶏肉など。
・夏はトマトやきゅうりのサラダとバーベキューが定番。

ソフィの実家では、ブルターニュ名物のソバ粉のクレープをよく食べるそうです。もちろん日曜に家族大勢で集まって夕方まで食べ続ける昼食会は、前菜、メインには仔牛のクリーム煮のような煮込み料理、チーズ、デザートだそうです。

ソフィが気をつけていること

・どんなに忙しくても冷凍食品などあらかじめ調理してあるものは絶対に食べない。
・5歳の息子は、甘い清涼飲料水などは飲まず、市販の駄菓子は食べない。
・自分で作ったお菓子や、添加物が入っていないオーガニックのビスケットなど。
・ファストフードは言語道断。

⑤　アンヌの食卓

1児の母。週5日勤務。シングルマザーですが、子どもは週の半分は近所に住むお父さんの家に行きます。別れた後も元彼とは大の仲良し。

前菜

手間のかからないものを常備。トマト、きゅうり、コーン缶、ビーツ、アスパラガスの瓶詰、ヤシの芯などのサラダ。オリーブオイルとピカール（冷凍食品ブランド）の冷凍のバジルと塩で味付け。

メイン

- 卵焼きとパスタ（Barilla社の6分でゆであがるタイプ）にパルメザンチーズをかけたもの。
- パスタやお米と一緒に、瓶詰のラタテュイユなど。
- ピカールの冷凍の魚（サーモンやタラなど）をオーブンやレンジで、冷凍のエシャロットとオリーブオイルと調理したもの。レンジなら4分でできる。クスクスやお米、パスタと一緒に。

デザート

- チーズと果物、もしくはヨーグルトと果物。
- フルーツ入りのヨーグルト。
- チョコレートのLiégeois。

アンヌの晩餐

・キッシュとサラダやスープ。
・牛肉のワイン煮込みboeuf bourguignon。
・レンズ豆とソーセージpetits salés aux lentilles。
・ラザニア。

アンヌが気をつけていること

・甘い市販のグミやお菓子は極力避ける。
・冷凍食品でもあらかじめ調理されたものは買わない。

⑥ ナタリーの食卓

産後に調理師の資格を得て、サラダやキッシュなどの軽食のレストランをコロナ発生と同時に開業。グルメであらゆる高級フレンチのお店に行った経験の持ち主。現在のパートナーとの間に5歳の娘と、13歳の彼の息子が隔週の週末だけ同居。「平日は5〜10分で夕飯の支度をすませる！」というツワモノ。金曜日に、お店の残り物のキッシュ・ロレーヌ（私が人生で食べてきたキッシュの中で最も美味しい！）やクッキーなどをおすそ分けしてくれる貴重なご近所のママ友。

前菜

特になし。

メイン

・ノルマンディ風チキン（チキンをオリーブオイルで焼いて、薄切りにしたマッシュルームと生クリーム、粒状のフォンドヴォーで味付け）とブロッコリーやアスパラガスなどの付け合わせ。

・お肉を調理することはそれでもまれで、ハムなどの火を通さない豚肉加工品が多い。イベリコハムをメインにサラダ菜、トマトやゆで卵等々でボリューム感を出すsalade composée（メインになるサラダ）が定番。

・ミニトマトとバジルとオリーブオイルのシンプルパスタ。

・自家製ピザ（スーパーで生地を売っているので、市販のシンプルなトマトソースと好きな野菜とモッツァレラチーズをのせるだけ）。

・自家製チキンナゲット。

ナタリーの晩餐

ポルトガル出身の両親を持つ彼女は、お魚を丸一匹、お野菜とオリーブオイル、ハーブで味付けしてオーブン焼きにしたものが多いそう。煮込み料理はほとんど作らない。

デザート

・チーズ
・果物。
・ヨーグルト（バニラ味や、チョコレート入りのもの）。

ナタリーが気をつけていること

・冷凍食品は買わない。
・あらかじめ調理されたものは買わない。

⑦ フランソワ・グザヴィエの食卓

今回唯一男性で回答してくれたフランソワ・グザヴィエは、出版関係のお仕事をしていて、知的でグルメなゲイ友。私よりも日本を知り尽くした旅行好き。趣味で日本のガイドブックまで出版した人。

・冬は野菜のスープ、パンとチーズ。
・夏はサラダ（トマト、サラダ菜、クスクスやパスタのサラダ）とパンとチーズ。

・週に3〜4回はレストラン。
・たまにお惣菜屋さんを利用。

フランソワ・グザヴィエの晩餐

リヨン、サヴォワ地方出身の両親を持つ彼のご実家の定番はグラタン・ドーフィノワ。ポレンタを使ったバージョンも「おふくろの味」だとか。

フランソワ・グザヴィエが気をつけていること

・スーパーなどで売っているあらかじめ調理されたものは絶対に買わない。
・Uber Eatsなどの宅配サービスは利用しない。

⑧ 我が家の時短フレンチ

私が和食モードではない時、オペラ座界隈に買い出しに行けない忙しい時は、時短フレンチまたはイタリアンです。なにせ和食に比べて洗い物が少ないので、片付けも楽です。
前菜は、今回アンケートに答えてくれたお母さんたちとほぼ同じ。我が家も秋冬は、ビーツやキャロット・ラッペ、野菜のスープが多く、スープとパンとチーズだけの場合もあります。レンズ豆とキャロット・ラッペ、燻製TOFU（オーガニックのスーパーに売っていて、ベーコンなどの代用品）、コリアンダー（冷凍）をお醤油やお酢、ニンニクパウダーなどを適当に入れて味付けします。これはベジタリアンの友人のために作ってから定期的に作る前菜の一つです。

春夏はきゅうりやトマトが毎日のように登場します。洋風の味付けの時はギリシャのフェタチーズとオリーブを入れて、オリーブオイルとレモンで味付けします。すりおろした玉ねぎ、ごま油、お酢と砂糖と醤油で作る和風ドレッシングだと、娘がもりもり生野菜を食べるので、時間のある時に作り置きします。

我が家ではアペリティフでも頻繁に登場するbâtonnets de crudités＝生野菜のスティックも春夏の定番。きゅうりやニンジンをスティック状に切ったものを、ノンオイルのツナ缶とクリームチーズ、塩コショウとレモン少々、シブレットという香草を入れたソースにディップします。このディップソースを作ると面白いほど子どもたちが生野菜を食べてくれます！

お父ちゃんの時短料理の中で、娘の一番の大好物はツナとコーンのピラフ。バターで玉ねぎ、ツナ缶、コーン缶を混ぜて、お米も炒めて、最後に大量の生クリームを加えます。crème fraîche épaisse＝硬いタイプのノルマンディの生クリームがあれば、たいていのものは美味しくなります。

パパッと作れて豪華に見えるチキンは最近よく作ります。大量のニンニクと、鶏肉と乾燥トマトとエシャレット（冷凍）、マッシュルームを炒めて、生クリームをドボンドボンと入れたものや、ピカールの冷凍のお魚を蒸して、生クリームと冷凍エシャロットと、粒マスタードを溶かしただけのソースをかければ簡単おフランス料理のでき上がり。生クリーム万歳！でございます。ライスとブロッコリーなどの蒸し野菜と一緒に食べることが多いです。

時短イタリアンで一番よく作るのがミニトマトとバジルのパスタ。ただニンニクをオリーブオイルで炒めて、ミニトマトを入れて蓋をして、ゆでたパスタと炒めて、生のバジルを上からハサミで千切りにして入れるだけです。一番簡単で一番好きなパスタなのでよく作ります。

時短のフレンチの代表格キッシュは、やはり我が家でもたびたび登場します。今までは市販の生地を常備していましたが、意外と簡単に生地が作れるので、たまに日曜に生地を作って薄く延ばして冷凍しておきます（最近のストレス発散）。それを朝冷蔵庫に戻して解凍して、夕飯には卵3個と生クリーム1パック（こちらでは25ミリリットル）と、削ったチーズでアパレイユ（混ぜ合わせたもの）を作って、余り物のお野菜やベーコン、ツナ缶などを炒めたものの上にかけ、オーブンに放り込めば、豪華にみえて、楽ちんなディナーの完成です。残り物の処理にも便利です。ちなみに私は粒マスタードが大好きなので、タルト生地にフォークで穴をあけた後に粒マスタードを塗ります。

我が家でも、前菜、メイン、デザートの3品。デザートは皆さんと同じようにヨーグルト、最近は脂肪分ゼロのスキールを、果物と一緒によく食べます。お父ちゃんは和食でも洋食でも必ずチーズをパンと一緒に食べています。

フランスで人気の冷凍食品、ピカール

今回意外だったのは、周りのお母さんたちのピカール利用率が非常に低かったというか、皆無に近かったことです。私も大好きなフランスの冷凍食品チェーン、ピカールですが、あらかじめ調理された商品は、確かに独身（と思われる）の若い方が買われているのを目にします。

私がたまに買うのはピザ、大人数を家に呼んでホームパーティをする時のアペリティフ用の塩味ケーキや、プチフール、等です。

お父ちゃんはたまにファヒータ・キット（ファヒータを作るためのスパイスやタコスがセットになったもの）や冷凍のフライドポテトを買ってきます。冷凍のインゲンやほうれん草、エシャロット、パセリやバジル、コリアンダーなどの冷凍ハーブ、生姜とニンニクのみじん切り、生魚、などは腐らせることなく常備できるのでとても重宝しています。

特に冷凍のサバの切り身は凍ったまま塩の華をかけてオーブンで焼けるので、とても楽ですし、なにせ脂がのっていてとっても美味しい。カツオも買えるので、たまにガーリック醤油とマスタードソースのたたきを作ると、家族は大喜びです。あとはデザート！　ピカールのデザート類は、そんじょそこらのお菓子屋さんのものよりも美味しいものがあり便利です。

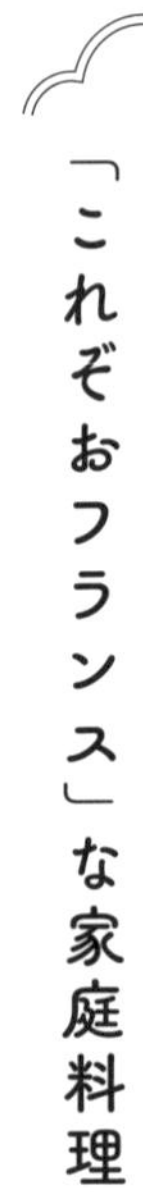

「これぞおフランス」な家庭料理

なんといってもプレ・ロティ（鶏の丸焼き）は、「これぞおフランス」な家庭料理の代表だと思います。お父ちゃんはパプリカやタイム、レモンをまるごと鶏の中に入れて下味をつけてオーブンで焼きます。たまに自家製フリット（フライドポテト）と一緒に作ることもあります。

自家製フリットも、家庭料理の定番の一つ。フライドポテトの形にジャガイモを切って、揚げ物器で2度揚げするので手間はかかりますが、週末に「フリット・パーティ」をするお家も少なくありません。自家製フリットとフランクフルト・ソーセージのランチも定番です。

前菜にキャロット・ラッペ、メインの後にサラダとチーズ、さらにデザートにリンゴのクランブル（これは私が作ります）というのが、日曜日に友人を家に呼んだ時の王道ランチメニューです。

季節によっては、ムール貝を大量にワイン、エシャロット、パセリやセロリと一緒に蒸したものと、フリットを一緒に食べるベルギーの国民食「ムール・フリット」も出番が多いです。

そして皆さん書き忘れていますが、冬場はなんと言っても「raclette ラクレット」です。これは冬のホームパーティの定番中の定番です。スーパーでもラクレット・チーズはパックになって売っていますが、私たちはチーズ屋さんで買います。ラクレット器は、大阪人のタコ焼き器くらい大事な、一家に一台常備されているものです。各自平たくて大き目のスプーンのような容器にチーズをのせて、ラクレット器で溶かし、ゆでたジャガイモとハムにかけて食べます。冬場に人を呼んだらこれ！　日本の鍋パーティのような感覚です。

ジャガイモをゆでる以外は特別な準備もないので、時短ディナーとして食べることもまれにあります。私はお酢の効いたサラダを大量に食べて、なるべくチーズ&芋の量を減らそうと無駄な抵抗をしています。

もう一つ、冬の家庭料理といえば野菜のスープ。おフランスでは立派な夜ご飯の一品料理です。野菜は形を残さずミキサーにかけます。

作り方は家庭によりけりですが、我が家は、バターかオリーブオイルで必ず玉ねぎとニンニクを炒めて、季節の野菜（冬は特にポワロネギ、ジャガイモ、ニンジン、玉ねぎ、かぼちゃ類など）を軽く炒めて、あとは市販のブイヨンとお水を入れて煮込み、好みでハーブや香辛料を加え、ミキサーにかけるだけ。生クリームやパルメザンチーズの端っこを入れて出汁をとったり、クリームチーズを入れたり、最後にコンテチーズやエメンタールチーズなどを削って上にかけることもあります。私のお気に入りは、topinambour（菊芋）というシャキッとした蓮根に近い歯ごたえの野菜と、ブロッコリーのスープです。

市販のボトルやパックに入ったスープも種類が豊富で便利ですが、どんなにシンプルでも自家製に比べると味がかなり劣るので、圧力鍋を使って季節の生の野菜を使って作るようにしています。

今回の「いかにもおフランスな一品は?」という質問で、必ず返ってきた答えが、「boeuf bourguignone＝牛のワイン煮込み」と「blanquette de veau＝仔牛のクリーム煮」でした。

我が家でも、お父ちゃんは濃厚な仔牛のクリーム煮を作ってくれますが、今のところ「おフランスの肉じゃが」牛のワイン煮込みは作ったことがありません。岡魔先生は「4日かかる」と言っていたように、ハードルが高くて作っていません。

食品の安全性や環境問題に敏感

このように、美食大国のおフランスですが、日常の食卓はいたってシンプル！　皆さん平日は料理らしい料理はしない人が多いなと思いました。実は今回この質問は男女問わず投げかけたものですが、子どもがいる家庭からの返答はすべて女性からでした（シングルファザーからは残念ながら返答なし）。そして気がついたら全員働くお母さん！

よくよく見ると、私の友人のフランス人のお母さんたちは全員働いていました。そして、男女同棲の家庭では毎日の食事は、帰宅時間がパートナーと同じでもほぼ全家庭で女性担当という、男女平等からはまだまだ程遠い現実にも今回気づかされました。まれに、奥さんがまったくお料理ができない、または奥さんの方が毎日帰りが遅いという理由で、毎日の炊事は旦那さんという家もありましたが。

そして、皆さん「調理済みのものは買わない」というのは共通していました。これは10年ほど前からフランスで連続して起きた「食品スキャンダル」(牛ひき肉だと売られていたものが馬肉だったなど)の影響が大きいように思います。どんなにシンプルでも季節のものを、調理する時間がなければ切って出すだけでも良い、というお母さんが多いことに共感しました。

仲良くしてもらっているお母さんたちは、我が家同様、食品の安全性や環境問題などに敏感な人が多いからかもしれません。ほとんどのお母さんたちがオーガニックの野菜や果物をスーパーで買っています。マルシェに定期的に買い出しに行く人は実はまれです。マルシェを定期的に利用する人は、私の周りではお年寄りや地方の人が多いようです。後述しますが、パリのマルシェは高いというのが一番の理由。「高い」とぶつぶつ文句を言いながら、食べ物にこだわりがある我が家のお父ちゃんはそれでも毎週必ずマルシェに行きます。やはり、マルシェで買う食材は鮮度も良く、味もまた格段に違うからです。

私はスーパーのレジに並んでいる時に、人が買うものをチェックするのが大好きです。「あーこの人は独身男性で、ごはん作る暇ないんだなー。野菜が一個もなくて、調理済みのものばかり!」とか

「大家族だな。添加物タップリの一番安いものを大量に買っているなあ。砂糖タップリの炭酸飲料を買うならリンゴでも買えばいいのに……」なんて頭の中でブツブツ独り言を言っています。ブリア・サヴァランというチーズの名前にもなった美食評論家が「君が何を食べているか教えてくれたら、君が何者なのか言い当てられる」という有名な言葉にあるように、「何を食べているか」で、その人物の生活レベル、教育レベル、社会的階級、宗教などさまざまなことが分かってしまいます。

実は前の夫の家族や、お父ちゃんの親戚の子どもたち、テレビのドキュメンタリーなどで目撃したフランスの子どもたちの食生活に驚愕していたので、今回周りのお母さんたちの献立を見て、とても安心しました。今まで見てきた子どもたちの定番のメニューは、ハムとピュレ、またはコキエット（小さなマカロニ）に、バターと削ったチーズをかけたもの、もしくはひき肉のステーキ（本当にひき肉だけでハンバーグとは違います）とコキエットにケチャップをかけたもの。「野菜料理を作っても嫌がる」もしくは「自分も野菜が嫌い」というフランス人の親はとっても多いです。レストランの「お子様メニュー」もほとんど「ひき肉ステーキとフライドポテト」。最初から「子どもは野菜が嫌い」と決めつけて、栄養バランスを無視してパスタとハムしか出さない友人や義理の家族を、実際に何人もみてきました。そして彼らはお野菜は食べなくても、デザートに巨大なアイスクリームをあげてしまうのです。彼らは、やはり後ろめたいのでしょう、今回のアンケートには答えてくれませんでした。まあ私にお説教されたので、わざわざ回答はしてこないのも不思議ではありませんが（笑）。

そして、悲しいかな、食育ゼロの友人たちは、生活保護を受けている人たちがほとんどです。彼らの食卓には、こういった野菜や果物の気配がまったく感じられず、常に甘い清涼飲料水や市販の添加物たっぷりの駄菓子が登場します。朝ごはんもおやつも、我が家なら皆、口に入れた瞬間に吐き出したくなるほど甘い菓子パンや、チョコレート飲料水を飲みます。彼らは「新鮮な野菜や果物を買うお金もなければ、調理をする時間もない」と言いますが、「スーパーの駄菓子や清涼飲料水の代わりに野菜や果物を買って、水道水を飲んだ方が安上がりで健康的なのに……」と心の中でつぶやいたり、時にはみるにみかねてお説教をしたりしてしまいます。しかも地方在住なら、よりローカルで安くて新鮮な野菜や果物が手に入りやすいのですが、そもそも「食べさせる気がない」だけなのだと思います。

20年前に比べると、前述の食品スキャンダルが重なったことや、環境保護運動の高まりから食品や健康に対するフランス人の意識も強くなってきましたが、それでも西洋には日本やアジアのような「医食同源」的な考え方はなく、食べ物で健康を維持するという観念は比較的薄いように感じます。そして偏った食事の友人たちは、子どもたちも、もちろん健康に問題を抱えていたり、すぐに病気をします。それでも生活保護を受けているので「医療費も無料」ですから、気にしません。これは本当にいかがなものかと思います。余計なお世話と分かっていても、「ウザったい日本人」と思われても、そういう友人には「栄養バランスと健康」について、会うたびにレクチャーをさせてもらっています。「食育のレベルは社会的階級に比例する」という法則は残念ながら世界共通なのかもしれませんが、その負のスパイラルから抜け出す道は、いくらでもあると思うのです。今回答えてくれたフランス人のママ友たちは、富裕層ではないにしても、中層階級の人たちで、皆教育レベルも高く、どんなに時間がなくてシンプルでも、バランスの良い食事を心がけていました。日本の食卓に比べるとはるかにシンプルですが。

私の母は専業主婦で、毎日品数豊富な立派なごはんを作ってくれていましたので、私は自分の作る料理のシンプルさに罪悪感を抱いていましたが、周りのお母さんたちの献立を知って、かなりホッとしました（笑）。そして、それで充分なのではないかなと思います。特に、生野菜が少ない冬に、果物を前菜に出すマリーの知恵には目からウロコでした。

家庭料理というものは、どんなに手抜きでも、質素でも、「おふくろの味」というように、一生記憶に残るものです。そして、ブリア・サヴァランの言う通り、食生活は、その人のアイデンティティに大きな影響を及ぼします。

どんなにフランスかぶれしていようと、私も、周りの在仏歴の長い友人たちも、具合が悪い時はどうしても和食しか食べたくありません。風邪で寝込んでいる時に、お父ちゃんはバターとチーズがかかったコキエット・パスタを作ってくれますが、「ごめん、無理！」と何度もお盆を返していました。チキンブイヨンの野菜スープでさえ無理なのです。というわけで、ご飯の炊き方と、乾燥わかめ入りのお味噌汁の作り方だけは伝授しました。

日本語を理解してもしゃべれない娘も、好物はすべて和食。一度だけ日本の学校に体験入学させた時も最初の一言は「給食ヤバい！　美味しすぎる！」で、毎日給食を食べるために通学していましたし、「日本の子どもたちが羨ましすぎる」と言っていました。

3パック入りの納豆が500円という異国で暮らしていると、簡単な和食でも贅沢なのですが、身近に手に入るオーガニックの野菜や、種類は少なくてもフランスで釣れた魚や、放し飼いの鶏や豚の肉など、良い素材に囲まれている環境を生かして、出汁、醤油、味噌などの基本の調味料でなんとか「和食風」に料理をすることができます。

そして、昨今の「健康ブーム」が「日本食ブーム」となり、「豆腐は食感がイマイチでも、木綿豆腐に近いもの、醤油や味噌もどこのオーガニックスーパーに行っても手に入るようになりました。なんとオーガニックの乾燥麹もインターネットで購入できるのですから、フランスに暮らす日本人にとってはありがたい傾向です。

きっと和食と「コレステロールたっぷりのノルマンディの味」が交互に登場する、我が家にしかない日仏家庭料理が娘のアイデンティティを築いていくのでしょう。

マルシェは「高い」「面倒くさい」

フランス生活の初期にマルシェで買い物をしようとドギマギしていて、迷惑そうな顔をされた経験があり、その「マルシェのトラウマ」を未だに引きずっている私ですが、意外なことに「面倒くさい」「スーパーで全部すませたい」「高い」とマルシェを嫌い避けるフランス人（特に私たちのような働く世代で共働き家族の場合）も多いと知りました。

私の周りでマルシェに定期的に通う家庭は、食品の質や安全性に特に敏感な、割と裕福な家庭が多いです。もしくは新鮮な魚や、お肉だけ、など決まったものだけをマルシェで買う人もいます。パリの北東部に住んでいた時は近くでスーパーよりも安い激安マルシェもありましたが、混沌としてスリも多いのでさすがのお父ちゃんも通っていませんでした。

そして近年の食品の安全性や、環境保護への意識の急速な高まりは、食品購入の仕方にも表れています。コロナ禍で利用者が爆発的に増えたのは、ローカルな食品を生産者から直接買うというもの。ご近所都会のイメージのパリですが、実はパリを含むイル・ド・フランス地域圏の47％は農地です。ご近所のロワール、ノルマンディといった地方もそれぞれ「フランスの庭」「フランス最大の酪農大国」と呼ばれるように、外国から空輸されたものを買わずとも新鮮な食材が手に入ります。近隣の地方から取り寄せた食材を週に1回配達してもらうといったシステムも忙しい共働きの働く世代には人気です。「何が送られてくるか分からない」ので、「やっぱりうまく調理できなくてやめちゃった」というママ友もいましたが、環境に優しく安全な食品の選び方、消費の仕方にフランス人はどんどん敏感になってきています。

いくら良い食材を優先したいと思っても「マルシェは高い」という抵抗感がある人たちの中には、共同農園の区画を借りて、自分たちでサラダやトマトといったお野菜を栽培する人もいます。これはなかなかハードルが高いのですが、例えばバカンスに行く時は隣の区画の人に水をまいてもらうなど、意識の高い人同士での結束力も手伝ってか、パリやパリ近郊でどんどん増えています。

そしてほとんどのフランス人はスーパーや大型スーパーで食料品を買いますが、消費者たちは自分たちの買い物の習慣を変えることは難しいので、大手のスーパーに変革を求めています。その影響か最近は大手のチェーン店も、オーガニック製品の売上面積を増やしたり、ローカルな生産者の顔写真付きの生鮮食品を売ったり、「よりクリーンなイメージ」を目指しています。

和食が食べられない外国人夫問題

我が家のお父ちゃんは、ノルマンディ生まれのノルマンディ育ちで、みるからにヴァイキングの末裔ですが、何でも食べます。YouTube動画をご視聴いただいた皆様はご存じかと思いますが、我が家は全員食いしん坊です。一番タチが悪いのは私で、食べ物のことになると母親であり、女であり、40歳であることを忘れます。一度精神カウンセラーに通った方が良いかも……と思うくらい、何か病んだものを感じるくらいです。お父ちゃんは私よりは健全ですが、とにかく食べることが大好き。そして何でも食べます。これは本当にありがたいことです。

よく私は「夫は顔見て選んじゃったけど、家の財産とか口座の残高をチェックし忘れた！　あーなんて愚かだったんだろう」と悪態をつきます。玉の輿を狙わなかった自分を恨みつつも「あー、お父ちゃんと一緒で良かった！」と思えるのが、何でも食べてくれることです。そして何を作っても「美味しい」と喜んで食べてくれること。

国際結婚をした女性たちの中には、この毎日の食事が大きな悩みとなって、ひどいケースではこの「和食が食べられない外国人夫問題」から亀裂が生じて、離婚に至る場合もあるようです。旦那さんのごはんだけ別に作る奥様もいらっしゃるそうです。どんなにお家が豊かでも経済的に余裕があっても、それはキツイなと思いました。せめて毎日2パターンのごはんを作ってくれるスーパーおかんに感謝の気持ちを伝えてあげて欲しいものだなと思います。

付き合い始めの頃から、お父ちゃんは一度も私が作るごはんに対して文句を言ったことがありません。まれに苦手なものがあっても「不味い」と言わず「僕は好きな味じゃないな」と言います。例えば、外国人が苦手な食材第1位の納豆。ほとんどのフランス人は見た目でギブアップですが、食べ物も人も食わず嫌いしないお父ちゃんは、ネバネバと臭いに驚きながらもトライしました。最初はビックリしつつも、味は美味しいとのこと。納豆を気持ち悪がるフランス人の友人の前では「みかけほどじゃないんだ。食べてみればね、意外とイケるぜ!」なんて格好つけたりします。

和食の時は、納豆1パックをアンナと半分こするのですが、たまに調子に乗って「僕もちょっともらおうかな」なんて言います(3個入りパック500円の高級品なので、ちょっとしかあげません)。やはりネバネバ系の和食材はあまり好まず、モズクも食べはしますが「感動はしない」そうです。確かにネバネバ食材というのはフランスにはないものだからでしょう。

私の作る和食は、朝ごはんのような献立がほとんど。焼き魚と野菜たっぷりの味噌汁とご飯。そこに納豆がつき、いわゆる副菜はあったりなかったり。副菜だけなぜかフランス風のサラダだったり。それでも「今日も美味しかったよ。ありがとう」と私がごはんを作ると、必ず言ってくれます。私はそんな低姿勢のお父ちゃんを見習わなければいけないなと思いつつ、自分はお父ちゃんの手料理に正直で辛辣(しんらつ)なコメントも容赦なくいたします。

そんなお父ちゃんを喜ばせたい時は、大好物の豚の角煮を作ってあげます。お誕生日に何を食べたいか聞くと「Buta no」(なぜかKakuniまで言えない)と答えます。娘はお肉のゼラチン質が苦手なので、フィレ肉で作った煮豚が大好物。とにかく甘辛い「豚 Buta」を出せば大満足な、手間のいらない一家です。

というように、何を出しても美味しく食べてくれるフランス人夫ですが、食後は必ずチーズを食べます。例えば肉じゃがや焼き魚、お鍋やすき焼きなどの和食や、マーボ豆腐や餃子という中華の日も、パスタの日も、フレンチの日と変わらず常に食後のシメはチーズ。お腹いっぱい食べても、パンにバターを塗ったタルティーヌに、1・5センチ厚のカマンベールをどかっとのせて、フルーツを食べないと食事が終わりません。

30代の頃はいくら食べてもスマートでしたが、最近はbriocheブリオッシュ＝お腹の贅肉がご立派になってきたので、量を減らすように目を光らせています。

5章

おフランスでの出産・子育て

子連れに優しい国。
腕まくりして
人助けするフランス人

おフランスの学校は週休3日。
水曜日は子どもの日。

1

2

1. 前日呼び掛けで集合、ママ友＆パパ友とアペロ会。
2. 仲良しママ友＆パパ友とキャンプ場でお泊まり会も。

3

3. お父ちゃんと結婚した日の食事会の思い出。アンナ2歳。 4. 現在の父娘。アンナ10歳。 すっかり気の合う二人。

4

1

2

3

1. 美術館の後は公園でランチ。日本のbentoが人気。2. 水曜日の子どもの日はアンナの友達を引率して美術館へ。3. パリ市内に「シラミ退治サロン」が登場。

子連れに優しい国、フランス

私は「日本はこうだから嫌だ」「フランスの方が良い」と言うのは嫌いです。それぞれの国に良いところ、改善すべきところがあり、それぞれ見習うべきところがあると思うからです。両国の良いところ取りをしたら、そこは理想郷です。私がフランスに暮らすことを選んだのは、あくまで相性の問題です。で・も！一つだけ自信を持って「日本、そこおかしいでしょッ！」と思うことがあります。それは子連れの親子・母親に対する冷たさです。

娘がまだ10か月の時、初めてお父ちゃんを連れて帰国した際に、お父ちゃんもかなりショックを受けていました。例えば、デパートのエレベーターが満員で、健康な若者たちは降りることもなく、みないふりをして通過。ベビーカーの親子連れたちは何度も何度も乗れずに待ちぼうけ。「優先」と書かれたエレベーターも同じ。しかもベビーカーでエスカレーターの使用は禁止。これには私は仰天しました。

フランスでは必ず誰かがエレベーターから降りて場所を譲ります。バスや電車の乗り降りの際も、頼まれなくても必ず誰かが手を差し伸べます。ベビーカー時代、パリのメトロにはエレベーターが設置されている駅は少ないので、初めは外出をかなり躊躇しました。「あの駅はエスカレーター／エレベーターがあるから、あの駅で降りよう」と計画しても、故障中のことが頻繁にあります。ところが、蓋を開けてみると困った体験はあまりありません。必ず誰かが「お手伝いしましょうか?」と声をかけてくれるからです。

ある時、メトロのホームから階段に向かってベビーカーを押しながら歩いていると、若いイケメンが階段の前で立ち止まって、私が階段下に着くのを待っていてくれました。そして「マダム、お手伝いしましょうか?」と声をかけてくれ、腰を屈めて重いベビーカーの端を持って（手が汚れる方）階段を上ってくれたのです。産後のホルモンの影響もあってか、その優しさに涙が溢れて、「大丈夫ですか?」と心配されました（笑）。「すみません、ホルモンです」と答えると、アハハと笑って、「Bonne journée !＝良い一日を！」と爽やかに立ち去っていきました。イケメンじゃなくても感動していたと思いますが、わざわざ待ってくれたことがとても印象に残っています。急いでいたかもしれないのに。

これは妊娠中の話ですが、メトロの中で立っていると、車両の奥にいたフードを被った、何やら不良っぽい若い男性が私をじっと睨んでいました。「アジア人嫌い」かなと思い、怖くて目をそらしましたが、私の方に向かって人混みをかき分けてやってきます。「殺される！」とすくんでいると、「マダム、座ってください」と声をかけてきました。「いえ、すぐ降りるので大丈夫ですよ」とビックリしながら答えると、近くに座っていた女性に「マダムはお腹に赤ちゃんがいます。席を譲ってください」とお願いしてくれました。

その女性も「携帯電話に気を取られて気づかなかったわ！　ごめんなさい！」と焦って私に席を譲ってくれました。これにはビックリでした。「服装や人種で人を見るのはいけないな」と改めて感じ、この時も涙を流した私でした（笑）。

腕まくりして人助けするフランス人

こんな風に、きっと日本なら「お節介」と思われたり、逆に迷惑がられそうな行為もフランスでは日常茶飯事です。そもそも「み知らぬ人に声をかける」ことが迷惑な行為ではないからです。フランスではサポートが必要な人に声をかけることは、いたって自然なことです。妊娠中、出産後に初めて「助けがありがたい身」になって以来、助けが必要そうな人には、迷惑がられても良いから声をかけるようにしています。もちろん、両国の違いを語る時は「１００％の日本人がこうで、１００％のフランス人がこうだ」とは断言しませんし、日本ならではの優しさや心遣いに涙することもあります（とりあえずよく泣く）。

でも私にとっては、この妊娠中やベビーカー時代に感じた「子連れは迷惑」な日本と「子連れは優先」するフランスという両国の違いはハッキリしていました。フランスでは困った時に誰かが声をかけてくれなければ、自分から「S'il vous plaît.すみません」と頼みやすいと感じます。

一度、10キロ入りのジャガイモの袋と5～6歳の男の子をベビーカーに乗せたたくましいお母さんが、まるで自分の夫かのようにお父ちゃんに向かってベビーカーを指さしながら「アンタ、手伝って！」と頼んできました（笑）。お父ちゃんはもちろん「Bien sûr. ＝もちろん」と言って手伝いました。「あー重かった！　あのベビーカー、長いこともたないな」とボヤいていましたが。万が一冷たい反応をされても「やっぱり迷惑なことをしてしまった」と落ち込むのではなく「ふん！　冷たいわね！」と思って落ち込む必要はないのです。ちなみに私は「すみませ～ん」と助けをお願いして断られた経験は一度もありません。

余談ですが、友人の小柄でスマートなアミちゃんが妊娠中に、メトロの中で座っている50～60代の女性に「すみません、私妊娠中なんですが」と声をかけたところ「ふん！　私もよ！」と返ってきたそうです。あまりお腹が目立たなかったからでしょうが、これには爆笑してしまいました！

娘が乳幼児の頃、外に出歩くとギャン泣きをされて他のお客さんの迷惑になるからと外出を避けてしまいがちでした。こちらの方はレストランには夫婦で出かけ、小さい子どもはベビーシッターに預けるのが一般的ですが、我が家はまず私がベビーシッターに預けることに抵抗がありましたし、旅行となると皆さんご実家に赤ん坊の頃から預けるのですが、義理の両親はオムツ替えを嫌がりましたので、息抜きに小旅行というと、必ず娘も一緒でした。

まだ娘が1歳になる前のこと、同い年のお父ちゃんの姉の娘も一緒に、2家族でクレープ屋さんにご飯を食べに行った時です。「レストラン＝ご飯を食べるところ＝良い匂いがするところ」なので、乳飲み子の頃から我が娘はレストランでは機嫌がよく、ギャン泣きすることは不思議なほどなかったのですが（笑）、姪っ子は家を出ると泣く子でした。ギャン泣きする姪っ子をあやしながら気まずくて謝る義理姉に、クレープ屋さんのウエイトレスさんが「小さい子どもの泣き声に耐えられないような大人は、どんなことにも耐えられない人間よ。そんな人たちの目なんて気にすることないわ。」とギャン泣きする義姉の子どもの方を振り向いた、向かいのテーブルに座るお客さんに聞こえるくらい大声で言ってのけたのです（笑）。

娘と日本行きの飛行機に乗った時も、「赤ちゃんもパパもママも頑張ったわね」とか「私たちは皆子どもだったのよ。気にしなくて良いのよ」などなど、みず知らずの人たちに温かい励ましやお褒めの言葉を頂き、ホッとして嬉しくて私もお父ちゃんも泣きました（笑）。

もちろん、泣きわめく子どもを放ったらかしにするわけにもいかないですし、泣いているということは何か要求があるわけですから、あれやこれや原因を探し、皆が気持ちよく時間を過ごせるようにはすべきだと思います。けれども、「こんな風に味方をしてくれたり、応援してくれる人たちがいるんだ」と思っただけで、とても心強かったです。

フランスではけっこうありがちな「アタシャ子ども連れなんだからどけどけ〜！」とばかりの態度の人も逆にどうかと思うのですが（笑）、子連れの大変さに少しでも同情してくれる人がいると、こちらが気を使うことに変わりはなくても、だいぶ楽になれます。乳飲み子を連れていた時期にこの「気持ち的に楽になれる」ということが、どれだけありがたかったことか。

一度だけ、小児科の予約の都合で帰宅ラッシュの時間になってしまい、メトロはやはり不便なのでバスに乗ったら、「こんな混んでる時間にベビーカーで乗るのは迷惑」と言ってきたオバサンがいました。が！　瞬時に周りの乗客の皆さんが「ベビーカーだとバスの方が便利なのよ」「アンタが降りればいいじゃない！」と一斉にブーイングしてくれました。「アタシャ子ども連れでも他人に迷惑かけなかったわ！」と反論してきましたが、「アンタはアンタでしょ！」「アンタこそ迷惑！」「アンタが立ってる場所には『ベビーカーと車いすのスペース』って書いてありますけど?」と一斉射撃（笑）。「皆すごいなあ！」とフランス人たちの口論のうまさに唖然としてしまいました。

「メルシー」と嬉しさに涙ぐみながら言うと、マダムの一人がウィンクをしてくれました。彼女のウィンクは一生忘れません。「自分の時はこうだった。もっと苦労した」と今の若いお母さんたちなりの苦労を知らずに「母親なら苦労して当然」と、困っているお母さんに同情しない心の狭いオバサンはどこの国にもいます。いつの時代も、どこの国でも、子どもを育てる苦労やストレスは同じなのに。でも私は幸運なことに、嫌な思いをすると、必ずかばってくれたり、励ましてくれたり、助けてくれる人たちに出会ってきました。

子連れの頃のエピソードではありませんが、こんなこともありました。

一度メトロの中で後ろから飛び蹴りをされたことがありましたが（今思うとすごい体験ですが）、すぐに私の周りに輪ができて、「大丈夫か?! 立てるか？ けがはないか？」「頭のおかしい危険なやつがいる！ 警察か地下鉄のガードマンに知らせてくれ！」「救急車は必要か？ 息はできるか？」という言葉が飛び交ったのを覚えています。「アタシをブルース・リーだと思ったのかしら？」と言って、大丈夫なことを告げると皆笑ってくれました。そしてある男性は「家はどこ？ 送ってあげるよ。何かあったら電話してね」と名刺を差し出してきました。一応受け取ると「君の電話番号もくれないかい？」（笑）。

先日もカフェのテラスに座っていた時、おばあちゃんが歩道の段差を踏み外し転んで額を打って悲鳴を上げた瞬間に、若いカップルや数人の歩行者がすかさず駆け寄り、流血する女性の額を拭いてあげたり、私の隣にいた男性も「ちょっと様子をみてくる」と立ち上がりました。ぶすっとした一見感じの悪そうなカフェのウエイトレスさんも、すかさずおばあちゃんが座れるようにテラスの椅子を持っていきました。私がお水を入れたコップを渡しに行こうと立ち上がると、ウエイトレスさんに「アタシがやるからいいわ」と合図されたので座ってみ守ることにしました。

驚いたのは、5～6人のみず知らずの人たちに助けられたおばあちゃん、「段差がみえなかったのよ！　最悪の一日だわ！」と大声で文句を言う元気もあり、旦那さんに支えられて去っていきましたが、助けてくれた人たちに「ありがとう」の一言もなかったことです（笑）。そして助けてあげた皆さんは、そんなことは気にさえしていなかったこと。

私が20年以上パリに住んでいて体験、目撃した「人助けエピソード」を挙げたらきりがありません。子ども連れか否かに関係なく、困っている人にはすかさず助けの手を差し伸べる人たちです。フランス人の中には「最近は人情が薄れたぜ」と言う方もいらっしゃいますが、私はそうは思いません。あの一連のテロ事件の際にも「フランス人のいざとなった時の結束力」は素晴らしいものだと思いました。

フランスはまだまだ不便も多い国です。ハイテクで便利な日本と比べると10年くらいは、遅れているのかもしれません。道は汚いし、スリはいるし、突然怒鳴り合いが始まるし、ストはあるし、デモはあるし。それでも私はこの国に「安心感」を覚えています。それは街中のみず知らずの人たちでも、私を「赤の他人」ではなく「一人の人間」として見てくれることを知っているからです。これぞ、私がどんなに「アジア人差別」を受けようと、スリに遭おうと、パリに住み続ける理由です。

フランスで出産した理由

私には10歳の娘が一人いますが、もともと、結婚して子どもを産んで家庭を持つという夢は、一度も持ったことがありませんでした。生涯独身で、どこか異国の土地でヒッソリと孤独に死んでいくか、逆にどうせ子どもを持つなら国籍、人種、文化の違う男性たちとの間にたくさんの子どもを作り、父親の違う子どもたちとみんなで仲良く暮らす、もしくは世界中から孤児を引き取るというジョゼフィーヌ・ベイカーやアンジェリーナ・ジョリーのようなファミリーが良いなあと思っていました。

そんな私がなぜ、今のお父ちゃんと子どもを作ろうと思ったのか。理由は二つあります。

一番の理由は、お父ちゃんと付き合って3年目、彼の人となりが、見えてきて「この人はお父ちゃんになるべき人だ。世界一良いお父ちゃんになれる！」と思ったからです。赤ん坊を抱っこ紐で抱っこしながら、誇らしさと不安が交じったような表情で颯爽と歩く姿が突然脳裏に浮かんだのです。

おフランスではいたって普通のことですが、お父ちゃんの両親は小さい時に離婚しています。それだけならまだ良いのですが、別れた両親のイザコザに巻き込まれたトラウマから、家庭を持つことは彼にとって、夢どころか、逆にできれば避けたいことでした。実はこういうケース、非常に多いのです。「結婚していないと一人前にみてもらえない」という社会的なステータスはどこの国にもありますが、日本ほどのプレッシャーはありません。

付き合っていくうちに、私はこの結婚や家庭を持つことにまったく興味のないノルマンディの片田舎のあんちゃんに「世界最高のお父ちゃんの潜在能力」をみい出しました。この人は持ち前の責任感で、子どもを育てていくうちに、自分もどんどん成長していって、欠けている自己肯定力も育つだろうと確信しました。結果論として、この時の私の直感ほど、当たったものはありません。

子どもを産むきっかけになったもう一つの理由は、2011年のあの震災です。

3月11日の朝、東京ドームに水が溢れ、家具や人が浮かんで助けを呼んでいるという奇妙な夢を見て飛び起きると、み覚えのない電話番号から何度も電話がかかってきていました。「変な目覚めだなあ」とシャワーに入りながら聞いていたラジオのニュースで、何度も「ジャポン日本」と聞こえてきたので、急いでシャワーをすませてニュースに耳を傾け、「日本、大地震、巨大な津波……」という言葉が弾丸のように頭に撃ち込まれました。ショックで呆然としていると、再び謎の番号から電話が鳴りました。これは震災と関係があると思い、出てみると海外出張先にいた兄でした。

いつもは冷静な兄が動揺した声で「おい！　日本が沈むぞ！　家に電話がつながらない！」と言っていいます。パニックで実家に何度電話をしても通じません。この時私はずっと恐れていた「海外にいながらにして、巨大地震が発生して親を亡くす」という悪夢が現実のものとなったと思いました。結局数時間後に、両親の無事を確認することができましたが、その数時間の間、私は一人きりになったと思いました。

あの日、家を失った東北のおじいちゃんが、「家がなくなっちゃった」と話しているフランスのニュース映像をみながら、自分の家族に起きた出来事のように号泣したことを昨日のように覚えています。そして、あのヘリコプターから原子力発電所に水をまいている映像……。震災から数か月間は、不眠症になったり、急に不安になったり……。いわゆる鬱状態だったと思います。そして「突然の両親の死」を擬似体験したことで、私の中でなにか「子孫を残さねば」という生存本能のようなものが働いたのではないかと思います。

ある日、何気なく「子ども欲しい？」「うん、君となら欲しい」「じゃあ作ろうか」という会話を交わしましたが、どちらが先に質問したのか、どちらが答えたのかはお互いに思い出せません。ただお互いに、「この人の子が欲しい」と同じタイミングで思ったことは確かでした。そして、震災からちょうど4か月後に妊娠が発覚しました。

手厚い社会保障と、無料の医療制度

つまり、フランスで出産したのは、「一緒に子どもを作って育てたい」と思った相手が「日本語をまったく話さないフランス人だったから」「すでにフランスに居着いていたから」ですが、まったく期待していなかった恩恵としては、フランスの手厚い社会保障や、無料の医療制度がありました。

ちなみに私は妊娠から出産まで一銭も払っていません。唯一自腹で払ったのは、産院の病室のテレビの使用料くらい（笑）。sécurité sociale（国民健康保険／通称セキュ）と、勤めていた会社で入っていたmutuelle（基本健康保険で還付されない分をカバーする保険）で、診察もエコー検査も入院費も、すべてカバーされましたし、出産後のボーナスも頂きました。

そのかわり、帝王切開でもたった5日の入院で、「ベッドが足りない」からとポイッと追い出されたのですが（笑）。

帝王切開後の痛みで何もできなかった私を介護してくれたのは、お父ちゃんでした。頼れる家族も周りにおらず、たった二人で、いや三人でこの時期を乗り切れたことは今でも我が家の大きな誇りです。お父ちゃんは、手術後のあまりの痛さにうめき声を上げ、動くことさえままならない妊娠で30キロ増えたパートナーと、ホヤホヤの新生児の面倒をパニクりながらも一人でみてくれました。

フランス人男性は育児に積極的

前章でフランスでは亭主関白男が多いと述べましたが、日本との違いは、家事は手伝わなくても子育てには積極的なことです。フランスでは、保育園から小学校の最終学年（日本の5年生）まで親が学校に子どもを毎朝送り、夕方に迎えに行きます。

この送り迎えは、お父さんとお母さんが半々くらいです。週末になると、公園に付き添うお父さんもたくさんいます。付き添いだけではなく、私の友人たちもみんな積極的にオムツ替えをしたりミルクや離乳食をあげたり、本を読んで寝かしつけをしたり。育児にはとても積極的なお父さんが多いのです。

そもそも日本では「家事・育児」と一括りにして、それを成し遂げることを「家庭を守る＝女性の仕事」とすることが多いですが、フランスでは若干違うように思います。育児、子どもと一緒に過ごす時間は「privilège＝特権」であって、重荷でもなく、女性に限られた役目ではないという考え方に変わってきています。もちろん男性も産休・育休もきちんととります。日本のお父さんはというと、夜遅くに仕事や付き合いから帰って疲れきっていて、子どもと遊ぶどころじゃない。週末も疲れてゴロゴロ。もしくは仕事。そんなイメージがあります（昨今はコロナ禍もあって変わってきているでしょうか?)。

フランスでは残業は会社に高くつくので、ほぼしませんし、そもそも、「仕事がメイン」の人生ではなく「私生活がメイン」なので、仕事明けにいやいや上司と飲み会なんて滅多にないのです。サクッと夕方5時キッカリに退社して、子どもを迎えに行ったり、夕飯のお買い物をしたり、共働きの妻と一緒に夕飯の準備をしたり、子どもをお風呂に入れたり、夕方のファミリー・ライフに参加します。私生活が安定していて、子どもの教育に熱心な男性こそ「立派な男」と社会的にも認められているのです。

子育てに男女の不向きはないと確信しています。我が家の育児は完全に二人三脚です。「これは男の役目」「これは女の役目」ではなく、どちらかが得意なことをすれば良いと思うのです。

子どもとの時間がまったく持てない、持とうとしない、持つものではないと思っているお父さんたちは、本当に可哀想だと思います。私は団塊の世代の父とは、1分も会話が続きません。「家庭や子どものことには一切手間を割かないのが男だ」と教育されてきた世代です。今さら批判をするわけではなく、本当にもったいない、残念だなと思うのです。お父ちゃんとアンナを見ていると、この二人の信頼関係は、お父ちゃんがかけた愛情の報い。愛情は注いだ分だけ返ってくるものだなと感じます。

可愛くて仕方がない娘が10歳になった今も「小児の突然死」のリスクに怯えていて、娘がぐっすり寝ていると、未だに息をしているか必ず確認します。

同じハーフの子どもを持つ日本人ママ友

私は大勢で「つるむ」のが嫌いです。グループに属するのが嫌いです。グループ内のいざこざを避けたいので、大学でも一緒につるむ友達もいない一匹狼でした。別に仲間はずれにされていたわけでもなく、YouTube動画に登場する仏文科の同級生たちも皆とても良くしてくれていましたが、キャピキャピな女子大生の空気に馴染めず、キャンパスにもあまり姿を現しませんでした。

留学中でも日本人同士でつるむのは「せっかくフランス語を勉強しに来てるのに、日本語しか話さなかったら進歩しない」と思って、特に気が合うわけでもないのに「日本人だから」と付き合うことは避けようと思ってきました。パリ暮らしを始めて、生活費を稼ぐためのバイト先も日本人の同僚がいない、サンジェルマン・デ・プレのフランス人経営のアクセサリー店でした。

外に出るのが怖くなって、日本人だけでかたまってしまうのは、仕方がないことかもしれませんが、パリ生活初期にハマりやすい落とし穴でもあると思います。

「日本人だから無視しなさい」とはもちろん言いませんが、本当に日本人としかつるまない人たちを見ると、「何のためにフランスに来たのか」と残念に思ってしまいます。と偉そうなことを言っていますが、まだまだ言葉も不自由で、パリ生活初期はインターネットさえ普及していない時代でしたし、ひねくれ者でも決して人間嫌いではないので、やっぱり思いっきり日本語でしゃべれる友達は欠かせない存在でした。

日本人にしか貸さないというフランス人オーナーのアパルトマンに出入りしていたこともあり、幸いそこで気の合う日本人の友人たちを作ることができ、人生で一番好き勝手で楽しい時期を共にしました。でも大好きだったその友人たちは、一人、また一人と帰国してしまいました。これが、「このままパリに住みたーい！」と夢から覚めたくない一心で、ウッカリ現地で結婚してしまった日本人が必ず経験する悲劇です。「気がついたら一人になってしまうのでは」という不安……。

私はパリに住むのが運命だったんだな（自分で強引にねじ曲げた部分もありますが）と常々感じます。何度も運命的な出会いに救われているからです。その一つが、YouTube動画にも時々登場する仏文科時代の同級生アミとの「パリでバッタリ」事件です。大学時代は顔見知り程度でしたが、それぞれいろいろなサバイバル体験をした後に偶然パリの街中で出会った時は、まるで「戦場で無我夢中で戦っている間に、気がついたら生き残っているのは自分だけ……と絶望していたら、偶然生き残っていた母国の兵士とバッタリ遭遇した」かのようなドラマチックな瞬間でした。

この事件当時はまだお互い子どももいませんでしたが、その後彼女が先にお母さんになって、たくましく近所で次々日本人のママ友を作って「パリ郊外北西部の日本人ママ友コミュニティ」の中核人物にのし上がっていき、私はその様子を最初は遠目で見ていました。冒頭で述べている通り、私はつるむのは嫌いです。「お互いハーフの子どもがいる」というだけで友達になれるものかしらと疑問でした。

数年後、私の妊娠を手ぐすね引いて待っていたアミは、産院の選び方、無痛分娩、帝王切開、入院に必要なもの、新生児に必要なもの、健診、授乳、離乳食……とにかくお産・子育てのノウハウをすべて伝授してくれました。彼女にそそのかされていなければ、子どもは産んでいないと思います。娘にとっては命を授けてくれたもう一人の母のような存在です。

でも、彼女から授かった情報の数々は、もしかしたら頑張って私が自分でみつけることもできたかもしれません。フランス人の友人や、義理の家族が教えてくれたかもしれません。たくましく身につけた自分流のサバイバル術を惜しみなく授けてくれたこともありがたかったのですが、そういうことではないのです。何よりも、彼女の日本語でのユーモアに溢れた励ましが私を救ってくれました！

新生児を抱えて、呆然としている私に「大丈夫！　なんとかなるんだよ！　どこでも子どもは育つんだよ！」「最初の3か月なんとか頑張れ！　あとは楽になる！」という言葉があったからこそ、生き延びることができたのです。出産というのは、人生の美しい一ページのようですが、私にとっては産前・分娩・産後と身体的にも精神的にも、人生で最も辛い体験でした。そんな時に何よりも支えになったのは、彼女との長電話。

この長電話を私たちは今でも「ライフライン」と呼んでいますが、懐かしい日本の話をしたり、お互いの自虐ネタに笑ったり、悩み事を相談したり、今晩のおかずの話をしたり、お風呂場のカビ取りのテクニックを教えてもらったり。日本語でダラダラと話すこの時間が一番の癒やしなのです。夫も子どもも、もちろん心の支えですが、地球の反対側で、日本人同士、戦友同士「日本語で」話す時間がなければ、本当に砂漠にいる気分だと思います。笑いは生きる糧です。そしてフランス語でジョークが言えるようになっても、失禁するほど笑うことができるのは、どうしても日本人同士の、日本語の会話なのです。そこが、どんなにフランスかぶれしていても、日本語力が崩壊してきていても、自分は日本人だなと思う理由です。

というわけで、若い頃はツンと「アタシはパリジェンヌ。日本人とはつるまないわ」「ママ友なんていらないわ」と粋がっていましたが、今では近所のスーパーで日本人らしきお母さんを見かけるとナンパしています(笑)。突然「日本人ですか?」と知らないオバサンが話しかけてきてビックリしたと思いますが。スラム街在住の頃、まさか同じ日本人のお母さんが近所にいるとは思っていなかったので、飛びついた次第です。もはや恥ずかしいなどと言っていられません。新しい日本人のママ友ができたら、家族が一人増えた気分です。やっぱり同じ日本人同士、情報だけでなく、同じような苦労も分かち合って生きていくべきだと思うのです。

それに子どもたちも自分と同じハーフの友達ができたら嬉しいですし、これからもフランスに住み続ける日本人お母ちゃんたちとは、お互い助け合って、励まし合って、長くお付き合いをしていきたい関係です。将来は「日本人妻の老人ホーム」を作るのが夢です。

子どもが同じ園に通うフランス人ママ友

日本でも同じだと思いますが、子どもができるとお友達がたくさんできます。子どもを介して「パリの父母会サークル」に入ることができ、ノルマンディの田舎出身のお父ちゃんと、極東の島国出身の私たちの前に新たな世界が広がっていきました。

地方から出てくると、パリ生まれ、パリ育ちの人たちとは違って、家族も幼馴染も近くにはいません。パリで学生時代を過ごした時にできた友達がいる場合もありますが、お父ちゃんが上京したのは、学生生活を終えてからだいぶ後でした。人懐っこい性格なので、すぐに仕事先や、シェアハウスでお友達ができましたし、ノルマンディから上京してきた幼馴染も数人いましたので、友達がいないわけではありませんでしたが、やはりパリっ子に比べればアウェイという感じです。

私も映画学校や演劇学校、アルバイト先などでできたお友達はいましたが、先にも述べた通り、あまり友達をたくさん作るのは得意な方ではありません。もちろん私の命の恩人アミとのライフラインの長電話のおかげでだいぶ癒やされ、情報もたくさんシェアしてもらっていましたが、彼女自身赤ん坊を抱えていましたし、郊外在住でなかなか会えませんでした。そして、周りのフランス人の友人たちはまだまだ独身満喫中の人ばかり。唯一子持ちの親切極まりない、慈悲深～いお友達夫婦は、私の出産後まもなく田舎へ引っ越してしまいました。

田舎出身の人は親になると、田舎に帰りたがる人が多いので困りものです（笑）。というわけで、新生児を抱えてポツ～ンと3人で孤独な生活を送り続けるのかと思っていましたが、娘を保育園に入れた途端、新しい「親」というカテゴリーの大人の世界に足を踏み入れたことに気がつきました。気がついたら若い大人から親になっていたのです。

保育園の送り迎えで顔を合わせていくうちに、自然と仲良しになって、まずは公園で親交を深め、休日にgoûter＝おやつの時間に家に遊びに行く、お誕生日会に招待し合う、お天気が良くなるとピクニック、近所のカフェでアペロ、誰かの家でホームパーティ、子どもたちのお泊まり会、数家族が集合してキャンプ場でお泊まりしてワイワイ大騒ぎ、といったようにお付き合いがどんどんエスカレートして、仲良し父母友サークルができ上がっていました。

最初はもちろん子どもたちの話題で、その年齢ならではの問題・課題について情報交換をします。例えば「小児科はどこ？」とか「あそこのＰＭＩ（Centre de Protection Maternelle et Infantile＝母子保護センター。無料で診察やワクチン接種を受けられる自治体が運営する小児科）が良いわよ！」「赤ちゃん連れでも気軽に行けるカフェができたわよ！」なんて話題だったと思うのですが（すでに記憶が薄れています）、そんな感じでおしゃべりをしているうちに、だんだんと気が合うお母さんたち同士で公園に集まるようになっていきました。

私はまったく知識のない外国人でしたので、面倒見の良いフランス人ママ友には本当によく助けてもらいました。パリのスラム街に住んでいたので、スラム街の住人同士の結束感みたいなものもあったと思います。いろんな移民の人たちが、みんな仲良く平和に幼稚園に通っていました（フランスでは幼稚園から義務教育、つまり無料です）。幼稚園の中は、他民族、多文化、本当に人種のるつぼでしたが、子どもたちは皆仲良く交ざって遊んでいました。幼稚園で一番仲良しだった娘の二人の友達のお父さんは、一人がアラブ系、もう一人はアフリカ系でした。日本大使館では危険地帯の真っ赤なレッドゾーンに指定された区域でしたが、近所の人たちは皆親切で、昔の日本の長屋のような、下町の人情溢れる近所付き合いでした。

近所の子どもたちも皆どこに住んでいるか、誰の子か知っていました。私たちは、フランスの田舎と極東の島出身ですから、周りに頼れる家族はいません。しかも不安定な職種なので、お迎えに間に合わないというハプニングも何度もありましたが、ご近所の父母友は「電話1本入れてくれたら、うちの子と一緒に家に連れてくるから心配いらないよ！　ごはんも食べさせとくよ！」と、何度娘を預かってくれたことか！　そんな家族が周りにたくさんいました。本当にラッキーだったと思います。

父母友たちの支えがなかったら、どうなっていたんだろうと今でも思うくらいで、改めて思い返すと感謝の気持ちで涙が溢れ出てきます。

現在はスラム街から引っ越して、もう少し治安の良いところに住んでいますが、彼らとは今でも定期的に一緒にごはんを食べて、子どもの教育、フランス生活の知恵・情報交換はもちろん、政治の討論もしますし、パーティで年甲斐もなく踊りまくったりもします。

今のところに引っ越してきてからも、新しい学校で知り合ったママ友、パパ友たちとの新しい輪が広がってきました。娘が成長してきてだんだんと人間らしくなってくると、気が合う友達の親たちも、私たちと価値観の近い同年代の人たちが多くなってくるのは面白いものだなと思います。そもそも、住んでいる界隈である程度似たような人たちが集まるというのもありますが（収入、職業、バックグラウンドなどなど）。今は娘の親友たちのお母さんと定期的にアペロを楽しむ仲になりましたが、突然「親睦会アペロ」が始まったわけではなく、まずは送り迎え時の学校の前での立ち話から始まり、お誕生日会の後にお迎えに来た親にシャンパンなどを振る舞う「バースデー・パーティ・アペロ」などなどで、少しずつ仲良くなっていきました。親たちのWhatsAppのグループも、「仲良し女子グループ」「仲良し男女ミックスグループ」「ギター教室グループ」などいろいろあり、「明日のストどうする？テレワークだから、アンナ預かれるよ」「明日はストで給食ないから、冷たいサンドイッチじゃなくて、家でハンバーガー作るけどアンナもどう？」「明日のギター教室、お迎え行けないんだけど、リョーコに頼んでいい?」といった会話を交わすのに欠かせません。やはりパリやパリ近郊は核家族が多いので、持ちつ持たれつです。そして、この関係が「親同士の関係」から友情や、仕事仲間に発展していくこともあるのです。

どこの国にいても、社会人になってから気の合う友人をみつけるのは、至難の業ではないかと思います。私はあまり社交的ではなく、「つるむのが嫌い」な一匹狼でしたが、親になることでオオカミの群れに属することができました。このパリという華麗なるカオスで生きていくには、オオカミの群れに属さなければ生きていけないことが分かりました。

「子どもがいるという共通点だけで友達になる」「情報交換のためだけに無理してお付き合いする」というイメージがあった「ママ友」という言葉ですが、「同じハーフの子どもがいる」「同じ学校に通っている」という共通点は単なる出会いのきっかけにすぎず、そこから本当の友情が芽生えることもあるのです。社交的になることができた、ならざるを得なかった、という変化は、子どもができて自分に訪れた一番の変化かもしれません。子どもと一緒に、私たちも親としての新しい命を授かったと思っています。

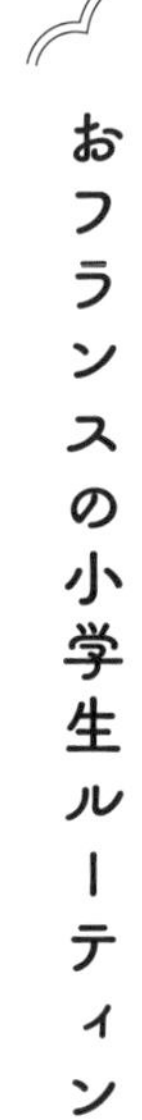

おフランスの小学生ルーティン

フランスの小学生が普段どのように過ごしているかも興味深いかもしれません。我が家の小学校5年生のアンナの一日を紹介します。

【朝7時20分　起床】

まずは今日の天気を確認しに、居間へやってきます。天気予報、気温をもとにお洋服選び。最近のお気に入りは花柄模様のスカートとセーターと編み上げミリタリーブーツ。下がフレアになったジーンズとトレーナー、コンバースというコーデもお気に入りです（笑）。おフランスの公立の学校には制服はなく、好きな服装で行きます。私立のカトリック系の学校には制服（規制のジャケットと黒か紺の服など）らしきものがあるようです。スポーツがある日は、レギンスとトレーナーなど動きやすい服装。日本のような体操着はありません。上履きもありません。そもそもおフランスの学校には、一応運動用のスペースは屋内にありますが、教室の2〜3倍くらいの、ジムのトレーニング・ルーム程度で、日本のような立派なグラウンドや体育館、ステージ、プールもありません。学校全体の行事というのも、年度末の打ち上げ的なパーティ、クラスごとのダンスや演劇の発表会くらいで、日本の運動会のような大イベントには乏しいです。しかも発表会でも日本のように凝った衣装はこしらえません。「白いTシャツと青いズボン」というように簡単に用意できるもので、親たちはそれでも「一回しか着ないのにもったいない」とブツブツ言いながら「白いTシャツ2枚あったら貸してもらえる?」なんて会話を交わします(笑)。公立の小学校では収入にもかなり差があったり、共働き家庭がほとんどなので、学校行事のために親が協力を求められることは皆無に近いです。そもそも、ボタン一つつけられないお母さんが多いおフランスで(家庭科の授業は存在しません)、日本のようにお母さんたちにプロ並みの裁縫テクニックが求められることはありません。学校行事が少ないのは寂しい気もしますが、「親になることへのハードル」がこういったところでも日本より低いのは私にとってはありがたいことです。

【朝7時45分　朝ごはん】

身支度がすんだら朝ごはんです。娘の朝ごはんは、白米、お味噌汁、卵焼きなど(前夜が和食の時の残り物)。家族の中でアンナだけ和食派ですが、毎日は作りません。食パンと目玉焼きとフルーツ、もしくはヨーグルトとバナナのみという日もあります。

【朝8時20分　登校】

8時20分〜30分の間に、学校の門まで送ります。

娘の学校は家から歩いて3分もかかりませんが、毎朝必ず送り迎えをします。同じ建物の同年代の子を持つご近所さんたちも、中学校までは送るという方針です。おフランスは過保護なので、ちょっと可哀想だなと思います。娘の学校は近所の公立で、幼稚園から小学5年生まで同じ校舎に通います。以前通っていた学校は少し特別だったようで、校長先生の方針で親たちが校舎内に入り、教室まで送ることが許されていましたが、普通は門の前までです。授業参観日もないですし、子どもたちが食べている、まずいと噂の給食も、実際にみたことはありません。新学期がスタートする9月に、担任の先生が教育プログラムや方針を保護者に説明する会と、先生との個別の面談はありますが、それ以外の機会に校内に足を踏み入れることはありません。「学校内のことに親が干渉すること」を避けるためなのか、一連のテロ事件以来、さらに厳しくなったようです。ちなみに、災害の避難訓練はありませんが、「テロリストが侵入した緊急事態を想定して」教室に隠れて、音をたてない訓練をするそうです。これには非常に複雑な気持ちになりました。

【午後4時半　お迎え】

午後の授業が終わる時間に合わせて、門の前で子どもたちが出てくるのを待ちます。

子どもが門を出てすぐにおやつを与える親がほとんどです。市販の激甘のチョコレート入りブリオッシュだったり、パン屋さんのパンオショコラだったり、市販のビスケットだったり。娘のクラスの子たちが出てくるまで、よそのお家のおやつ・ウォッチングを楽しみます。私は絶対におやつの歩き食べはさせません。家に帰って、手洗い・うがいをして、座って食べさせます。

これが「厳しい日本の教育ママ」のイメージを娘の友達に植え付けたようですが。おフランスかぶれでも、こういうところは譲れません。

ちなみに、おフランスの学校では日本のように生徒が掃除をすることはありません。

自分たちが学ぶ環境を大切に使い、綺麗に掃除をする日本の習慣は素晴らしいと思い、「フランスでも導入すれば学校だけではなく町も綺麗になる！」と力説するのですが、必ず「学歴がない人たちから掃除をする仕事を奪ってしまう」と返ってきます……。これはフランスの教育制度の中で最も残念に感じていることです。

【習い事】

放課後は家に帰って宿題をしたり、習い事に行ったりします。

コンセルヴァトワールという音楽・ダンス・演劇のレッスンを受けることができる市や区が運営する文化施設や、スポーツクラブに通うのが一般的です。コンセルヴァトワールは大人も通うことができます。授業料は給食費と同じシステム。各家庭の収入によって10段階に分かれていて、貧富の差に関係なく芸術に触れることができるというわけです。習い事には皆さんけっこう熱心で、ピアノ、バイオリン、ギター、柔道、サッカー、バレエ、英語教室やサーカスなどバラエティ豊かで、授業料も年間数万円程度でリーズナブル。毎日のように習い事がある子もいます。

学校は基本的に学区制ですが、近所の中学校に進学させたくない親御さんは、評判の良い中学校に越境入学させる目的で習い事を選んだりします。例えば隣町の優秀な公立中学校に入学させるために柔道を幼稚園から習わせたり、日本語の選択ができる学校を目指し、日本語をネイティブ並みに話せるように日本語教室に通わせたり……。

我が家の場合は、「とりあえず何か音楽と、体を動かす習い事で、本人が通って楽しめるものを」ということで、今年からはギターとヒップホップとお絵描き教室の3つのみ。

中学受験というものがないので、塾にも通いません。公立の中学校でも「ヨーロッパクラス」や「演劇クラス」など、成績の良い子たちだけが入れるクラスがあり、毎日の授業や、授業中の態度、定期的にある学校でのテストの成績などをもとに書類審査や面接で入ることができます。中学校も高校も大学も「お受験」というものはありません。つまり日頃からお勉強熱心である必要があるわけで、私のように「入試で一発勝負」でたまたま合格、というようなことはないのです（笑）。

さて、現在ガイド業は休業中なので16時半にお迎えに行けますが、仕事をしていた時は、18時まで

études（勉強）といって、学校でお友達と宿題をしたり、遊んだりする学童のようなものに通わせていました。お友達と一緒に宿題をしたいと言うので、今も週に一度行かせています。このétudesも有料で、給食費と同じ料金体制です。

送り迎えができない共働きのお家は、朝は7時半から学校が始まる8時半まで、夕方は18時から18時半まで、学校の託児施設に入れたり（これも有料）、ベビーシッターを雇ったり（平均1時間1300円ほど）、おじいちゃん・おばあちゃんに頼んだり。時間も曜日もはちゃめちゃで、親戚が誰一人近所にいない我が家は、託児施設を利用したり、ご近所さんや私の元夫やシッターさんにお願いしたり。いろいろな手段を駆使しました。

【おやつを食べて宿題】

16時半に学校が終わって帰ると、習い事がない時は家でおやつを食べて、宿題をします。おやつはパンにチョコレート、バナナやコンポートなど。お天気が良い季節は、お友達とお友達のお母さんと公園でおやつを食べて遊んだりします。放課後も、お友達と遊ぶ時は必ず親が同伴というのはとても残念だなと思いますが、防犯上、怖くて野放しにはできません。中学生になれば、ようやく少しは羽ばたきますが（近所のマックにお友達と行く程度）、日本に比べると自立するのが遅いなと思います。

小学校は週休3日。水曜日は子どもの日

フランスの小学校は市によって週4日、または週4日半です。２０１４年に週4日半制に統一されたと思ったら、マクロン大統領が当選した２０１７年以降、各自治体が週4日制か、週4日半制か選べるようになりました。例えば、パリ市は（県でもある）現在も4日半ですが、お隣のオー・ド・セーヌ県の36の市のうち29が週4日制で水曜日は丸一日お休み。フランス国内全体でみても、大多数の市が週4日制です。昔は土曜日の午前中に登校する時代もありましたが、現在パリ市は月、火、水曜日の午前中、木、金の4日半制です。ということで水曜日は丸一日、もしくは半日働かないお母さんが多く、子どもと一緒に家で休んだり、お出かけしたり、習い事のお迎えをしたりします。

私は娘が3歳の頃からガイド免許取得の講座に通い、その後はいつお仕事が入るか分からないガイドという不安定な職につき、お仕事の依頼も駆け出しの頃はまれ。「水曜は子どもといたいので仕事は入れないでください」なんて贅沢なことはもちろん言えなかったので、娘は学校の授業以外の時間は学童に入れていました。「学校大好き、学童大好き、お友達もたくさんいる」お父ちゃん似の社交的な娘なので、家計のためにもできるだけ働きたかった私にはありがたい子どもでした。

しかし、コロナの世の中になり、完全失業者となって、娘を学童に入れる理由がなくなりました。

家でお菓子作りをしたりもしましたが、私はお母さんらしいアクティビティが苦手です。天気の良い日は近くの公園へ行くべきなのですが、公園ほどストレスになるものはありません（笑）。子どもが一瞬みえなくなったらもう最後。パニックです。といって遊ぶ子どもたちを見張りながら、ママさんたちと長々とおしゃべりするのもどうも苦手です。今でこそ仲良しのママ友もいますが、娘が公園遊びが好きだった頃は、おしゃべりで時間を忘れてしまうほど気の合うママ友もいなかったので、娘の友達のお母さんたちとの会話もなんだか苦しいものがありました（笑）。

我が家は公園でのママ友たちとのお付き合いは、小さい頃からお父ちゃんの役目でした。なので、以前住んでいたご近所のママさんたちからのお誕生日パーティのお誘いなどは、今でもお父ちゃんに連絡が行きます。うちのお父ちゃんは女性とお友達になるのが大得意なので、お付き合いはけっこう任せています。というわけで、母親らしいことが苦手な私ですが、コロナ禍になって娘と過ごす時間が増えたことはある意味天からの恵みでした。

あっという間に大きくなっていく娘に、私は1日3〜4時間しか会っていない。ガイドという職業柄、土日もほとんど会わない……そんな状況だったことに気づきもしませんでした。コロナで失業して以来、水曜日は娘を引っ張ってスイーツ巡りをしたり、美術館巡りをしたり、家や映画館で映画を見たり、必ず一緒に過ごすことにしています。最近は娘の仲良し3人を連れて、美術館に行くのが習慣になっています。これだけの数の美術館があるパリに住んでいながら、実はなかなか行く機会もなかったりするのです。親たちもゆっくりしたいし、習い事もある。それに私はガイド免許という印籠があるので、美術館やモニュメントは無料！　子どもたちも26歳まで無料！　ならルーヴルだって週1回行けば良いではないか、と思ったのです。

おフランスの給食&お弁当事情

おフランスの学校は給食制です。保育園から高校までお弁当はありません。共働き家庭が多いフランスで、「お弁当を作ってきなさい」なんていうことになったら、デモ行進、ストライキ、ひいては革命が起きてしまいます。フランス共和国は保育園児に加えすべての義務教育を受ける子どもたちに、平等に、栄養バランスのとれた食事を提供しています。

娘のアンナは、生後10か月の頃から保育園に通い、現在日本の小学5年生ですが、学校に通う日は必ず給食を利用します。お昼休憩はだいたい11時時半頃に始まり、学年・クラスごとに食堂で食べます。順番を待っている間や食後は中庭で遊び時間です。給食は義務ではありません。給食に行かず、家でご飯を食べる子どもたちは、午前の授業終了時間に親がお迎えに来ます。家でお昼を済ませた後は13時半頃学校に戻ります。

毎日給食を利用する義務もありません。親のスケジュールによって、利用したりしなかったりもできます。我が家はお互いに不定期な仕事をしていて、前もって予定を立てるのが難しいということと、娘の希望で毎日給食です。決して美味しいからではなく、お友達はほぼ全員給食ですし、給食前後のお昼休みの時間が、子どもたちにとって大切な社交の時間だからです。さて、一体どんなものを食べているのか。以下、1週間の献立を例にあげてみます。

【月曜日】

前菜

アンディーヴ（英語ではチコリという小さな白菜のような野菜）のサラダ。

主菜

オリエンタルな香辛料が効いた仔羊のミートボール。

付け合せ

グリーンピースとニンジン。

デザート

オーガニックのフルーツヨーグルト。赤いフルーツジャム入りドーナツ。

【火曜日】

前菜

赤ピーマンとキノアのサラダ、フロマージュ・ブラン（酸っぱくないヨーグルトのようなもの）とミントのソース。

主菜

コラン（タラ科の白身魚）のムニエル。

付け合わせ

カボチャのピューレ。

デザート

オーガニックのグーダ・チーズ。オーガニックのキウイ。

【水曜日】（学童の日）

前菜

キャベツのサラダ。

主菜

マッシュルームとアーモンドのリゾット。

デザート

ポン・レヴェック・チーズ（ノルマンディ産のAOPチーズ）。
プリン。

【木曜日】
前菜
野菜のスープ。
主菜
ビーフの薄切り肉トマトソース。
付け合わせ
サヤインゲン。
デザート
オーガニックのフロマージュ・ブランと砂糖。オーガニックのバナナ。

【金曜日】
前菜
オーガニックのきゅうりのサラダ。

主菜
豚肉（または七面鳥）の薄切り肉、ベルシー・ソース（エシャロット、白ワイン、バターを使ったソース）。
付け合わせ
セモリナ。
デザート
オーガニックのサン・ポーラン・チーズ。リンゴとバナナのピュレ。

と、こんな感じで、給食にも前菜、主菜、デザートがあり、もちろん毎食オーガニックのテーブル・パンが付きます。なんだかとっても美味しそうですが、娘いわく「お腹がすいているから食べる」そうです（笑）。意外と普段の食事は質素なフランスの家庭の平均的な食事メニューといった感じでしょうか。質は市町村によって、かなり当たり外れがあるようです。

娘が通っていた保育園は、毎日その場で栄養士さんが考えたメニューが調理されていて質も高かったので、とてもラッキーでした。幼稚園以降は、給食センターで作られた料理を学校で温めるという一番多いパターンです。最近は、季節のお野菜や果物、オーガニックの食材を使ったり、地域の農家で採れたものを使うように努力をする町も増えています。

ちなみに前章でも少しお話ししましたが、娘のアンナが一度日本の学校に体験入学した時に一番感動したのは、学校給食のクオリティの高さだったそうです。「給食の時間だけ日本の学校に行けたらなあ」と、どこでもドアを夢みていました。

気になる給食費は、家庭の収入によって違います。料金は10段階に分かれていて、パリ市の最低額は1食0・13€（1€140円で約18円）、最高額は7€（980円）です。

さて、冒頭でも申し上げましたように、おフランスは完全給食制でお弁当はありません。学校で遠足に出かける時のみ、各自でお弁当を持参します。最近bentoという日本語も普及していますが、pique-nique＝ピクニックと言うのが一般的です。おフランスのお弁当のメニューは、ほぼクラス全員同じ。サンドイッチ、ポテトチップス（食べきりサイズ）、リンゴのコンポート、栄養バランスに気を使う家庭は、ミニトマトやバナナやリンゴ（丸かじり用）などの生のフルーツ。おやつにマドレーヌやビスケットを持たせる場合もあります。

サンドイッチの中身はだいたい一番楽なハムとチーズ。ツナマヨ・サンドだとかなり手間がかかっている方です。パンはバゲットだったり、市販の食パンだったり、スーパーやパン屋さんのでき合いのサンドイッチを持たせる家もあります。引っ越して学校が変わったり、毎年クラス替えがありますが、遠足の付き添いに行くとメニューはどこも同じ。おそらく全国共通だと思います。そもそもお弁当箱を持っていかず、「食べ終わったら手ぶら」になるようなメニューになっています。

幼稚園で初めてお弁当を用意した時、おにぎりとから揚げとミニトマトとポテトサラダ、卵焼きを持たせたら、お友達と同じく引率をしていた親たちに囲まれて大騒ぎになりました（笑）。「朝っぱらから揚げ物?!」とお母さんたちは目をまん丸くしていましたが、「日本では毎朝これより凝ったお弁当を作って、しかも仕事も家事もしているお母さんがいるんだよ」と言うと、口をあんぐりしていました。「だから私はフランスに亡命したの」と言うと「正解ね」とウィンクされました。ズボラでも一丁前の母親として認めてもらえるどころか、「マメなお母さん」に見られるフランスで良かったなあと痛感いたします。

新学期は「シラミ・シーズン」

おフランスにはシラミがいます。「うちの子シラミもらってきて大変だったわ〜！　おたくも気をつけてね〜」などという会話が学校の前で普通に交わされます。学校の入口に「シラミが発生しています」という貼り紙が掲示されることもあります。

シラミのハイシーズンは、新学期の9月。ちまたにシラミ退治グッズの広告が目につくと「あー新学期だな〜」と思います。シラミ退治グッズは、薬局で買います。シラミ予防シャンプー、シラミ取り櫛など、さまざまなグッズが取り揃えられています。最もポピュラーなのは、シラミを窒息させる油っぽい液体。これを髪の毛全体に塗りたくり、しばらく放置して洗い流すタイプ。洗い流した後は、老眼鏡をかけ、卵が残っていないか念入りにチェックして専用の櫛でとかします。

我が家も何度かもらってきましたが、だいたいこれで解決します。面倒なのは寝具や洋服、ぬいぐるみ等も60℃以上で洗濯しなければいけないこと。ぬいぐるみ類はゴミ袋などに密封して窒息死させる、もしくは大きな冷凍庫がある家庭はビニール袋に入れて冷凍庫で凍死させるという方法がありますが、シラミは60℃以上の熱には耐えられないということで、スチームアイロンが大活躍です。メトロやバスで座った後の洗濯ができないコートなどもスチームアイロンで消毒します。

とにかくいったんシラミをもらうと、完全に退治するのが大変。トラウマになっているので、日中明るいところでは（極小なのでみえないので）常に娘の頭をチェックしてしまいます。まるで猿山の親子。最近発見した髪の毛のシラミの退治方法は、私が普段使っているヘアアイロンです。少しずつ、まんべんなくヘアアイロンで髪を温めて卵を殺します。火傷しないように気をつけないといけませんが、一度で退治できました。

自然派のお母さんたちは、ラヴェンダーの精油配合のスプレーやシャンプーを使ったり、オリーブオイルを髪に塗ってシャワーキャップを被せるなどの方法を使います。最近では、「シラミ退治サロン」も出現し、髪をすっぽり巨大なシャンプーハットのようなもので包み込み、温風を送り込んで退治します。それぞれの家庭にそれぞれの退治方法があり、自信を持って勧めてくれるので面白いです。

バイリンガルというハードル

「ハーフの子どもは皆バイリンガル」というのは神話です。お母さんは日本語で、お父さんはフランス語で話せば自然とバイリンガルになるんだから、簡単でしょ？　自然にバイリンガルになれるでしょ？と思いがちですし、そう思っていましたが、現実は違いました（笑）。

娘が生まれて、まだ言葉を発しないうちは、ずっと日本語で話しかけていました。日本語の絵本を読んだり、『おかあさんといっしょ』のＤＶＤを見せたり。一方的に話しかける分には問題なかったのですが。我が家は共働きでないと経済的に厳しいので、産休が終わるとすぐに娘を保育園に入れて、翻訳業を始めました。あっという間に、気がついたら言葉を発するようになった娘。もちろんフランス語しか出てきません！　保育園ではもちろん保育士さんたちはフランス語、家でひっきりなしにしゃべっているお父ちゃんはもちろんフランス語オンリー。四面楚歌です。そうなるとやはり、娘はインプットもアウトプットもフランス語です。

とはいえ、短いフレーズは通じるし、日本語で返ってくることも最近は少しずつ増えてきました。例えば「お風呂に入りなさい」「部屋を片付けなさい」「手を洗いなさい」といった指示を出せば分かりますし、「はい」「ちょっと待って」「ごめんなさい」など短い返事は日本語です。

最近では街ゆく人のファッションチェックをしながら「あの人のスカート、短いね」とか「なんか変じゃない?」なんて日本語で言っています。周りが分からない言葉でコミュニケーションをとる便利さが分かってしまったようですが、日本語習得のためならそれも良しとします。「悪口って不思議と言葉が通じなくても、分かるのよ〜」と注意しておりますが(笑)。

娘の日本語脳に種は植えてあるはずなのです。根気良く水をまけば、いつかは発芽するはずだと思っています。一気に発芽して開花するために必要な太陽光線は、日本に行くことなのですが、なにせ年に一度、飛行機代だけでも30万円捻出しなければいけないし、仕事も収入も不定期な我が家には高いハードルです。

話はそれましたが、フランス在住でも、毎年日本に行けない我が家のようなご家族もたくさんいらっしゃいます。そんなお家のお子さんでも、しっかりバイリンガル教育に成功しておられる例もたくさん見てきました。そして逆に両親とも日本人なのに、フランス生まれのフランス育ちで日本語をまったく話さないどころか、「日本人であることが恥ずかしい」とコンプレックスを抱きながら大人になったという方もおられます。もっとも、「完全なるバイリンガル」は、両親とも日本人で、家では日本語、学校ではフランス語で育ってきた方たちに多いようです。

「日本語教育へのこだわり」は各家庭によりけりです。決して「ハーフ=バイリンガル」ではありません。我が家の場合は、私がそもそも「フランス語が好き」なので、どうしても3人でいると、フランス語を話してしまうということと、テレビや映画などのメディアも、英語やフランス語のものがほとんどなのです。

『ドラえもん』『クレヨンしんちゃん』『ちびまる子ちゃん』といった自分もみてきたアニメは時々みせています。最近は日本のアニメ人気のおかげで、NetflixやAmazonなどで日本語のアニメがフランス語字幕つきでみられるようになったので、「日本語のお勉強！」と（言われたら文句は言えない母）、放課後にアニメをみるのが娘の日課になっています。日本のテレビをひっきりなしにみている友人の子どもたちは、やっぱり日本語が上手です。そして、日本のことを日本にいるかのように知り尽くしています（笑）。娘本人は「私には日本人の血が流れているのよ！」と誇らしげに言いますし、「尊敬するママの国だから素晴らしい国！」（フランス人なので口達者）と、日本を羨望の眼差しでみていますので、できる限り帰国の機会を作りたいと思っています。やはり自分のルーツのある国、自分の歴史の一部を子どもに知ってもらうことは、子ども本人のアイデンティティを確立するためにも大事だと思っています。

流暢にアウトプットができなくても、ひらがな、カタカナ、漢字を少しずつ覚えて書いていくことは、確実に脳みその良いトレーニングになるはず。音楽やダンスと同じように、脳の各所をいろいろな方法で刺激していくことは、今目にみえた成果がなくても、必ず生きていくうえで役に立つ時が来ると信じています。ピアノを習う子どもがみんなピアニストになるわけではないですし（笑）。その成果というものが、流暢に日本語を話すというかたちで表れるとは限らないかもしれませんが、脳みそがスポンジのような時期に、まったく文法もボキャブラリーも違う言語を少しでも習うということは、決してマイナスになるはずがありません。何度か「両親が違う言語で話しかけたら子どもが困惑するんじゃない？」と言われたこともありますが、フランス語しか話せない人たちのジェラシーだと思って聞き流してきました。

私自身、フランス語を習い始めたのは大学のフランス文学科に入ってからですが、今はみず知らずのフランス人と口論をできるレベルになりました（笑）。幼少の頃にドイツ語を話していた時期があったことも、その後の語学習得には確実に役に立っていたと思います。ドイツ語は、小学2年生で帰国した後まったく続けなかったのであっという間に忘れてしまいましたが、英語教育が始まってから英語は一番の得意科目でした。高校生の頃の英語と数学の偏差値は30～40くらい差がありました（笑）。

私の場合は、外国映画をたくさんみていたということも、語学に興味を持ち続けられた理由の一つだと思います。興味さえあれば、何歳になっても語学の習得は可能だと信じています。

ハーフの子どもはバイリンガルであって当然というプレッシャーは、こちらの方々からも受けます。「異文化の両親を持つということは特権」「小さい頃から教えないと後が大変」「もったいない！」とよく言われます。おそらく自分のルーツを守り伝えていくことは、移民の多い国であり、「他の人と同じ」

ではなく、「se démarquer＝目立つ・際立つ」ことが良しとされる国では貴重な武器・財産と考えられているからだと思います。

逆に、フランス人化しようとして、かたくなに自分の出身国の文化から子どもを遠ざけようとする親もいます。私はそこまでかたくなに自分のルーツを否定する気はさらさらありませんが、異文化ミックス家庭のあり方もまた「人それぞれ」で良いと思っています。何を優先に子どもに伝えていくかは、親の方針によると思うのです。日本語が流暢ではなくても、私が教え伝える日本文化の素晴らしさを娘はしっかり吸い取ってくれています。

6章

家も車もパートナーも中古の国

リフォーム&DIY好き。パリ庶民の住宅事情

築100年以上のアパルトマンを自分たちでリフォーム。

1. イケアのシステムキッチンを導入した我が家のビフォア&アフター。

2. トイレの床もDIY。

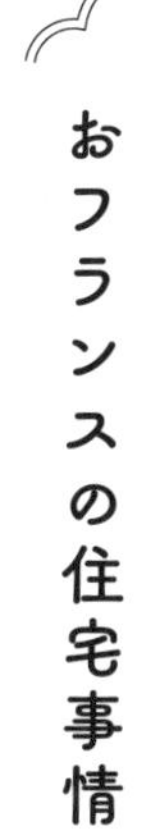

おフランスの住宅事情

おフランスの住宅事情は、日本とほぼ変わりません。世界中で大都市は家賃が高い、狭い、というのは需要と供給の理にかなったものなので、家を借りる時も、買う時も、だいたいの事情は同じだと思います。ただ私がこちらに来てまず一番ビックリしたことは、日本と違って（おそらくアメリカやアジア諸国も）、「中古物件の価値が下がらない」という点です。

パリ市内の50％の住宅は１９４６年以前の建築で、２０２１年度の中古物件の売買は3万６４１０件、新築は６６４件と圧倒的に中古物件が多いのです。

景観にこだわるおフランス。パリ市内では建物を好き勝手に解体して新しい建物を建てることはできません。新築は前述のように、ないわけではありませんが希少価値が高く、お値段も中古よりも高めです。

実は新築マンションや一戸建てを好むフランス人も多いのです。建築当時は水もガスも通っていなかったような建物はライフラインの配管は後付けですから、トラブルが多いのは確かですし、そもそもフランス人が全員アンティークな味のあるものを好むわけではありません。

私たち日本人の多くは、「憧れのおフランス」や「オサレなフランス人」しか見ていない、見せられていないので、「フランス人は皆マルシェや蚤の市でお買い物をし、素敵なアンティークのお洒落なセンスの良いインテリアに囲まれて生活している」と思い込み、まさかほとんどの一般のフランス人は、スーパーで買い物をし、インテリアはイケアだなんて想像だにしないと思います（笑）。

逆に私たちの目にはお洒落にみえるような「古臭い」ものを毛嫌いするフランス人も多いのです。私は古いもの（者）が好きな人間で、「昔は良かった」信仰に非常にあつく、「昔の電化製品は作りが単純で何十年ももった！」とか、iPhoneがないと生きていけないくせに、「ジーコロジーコロとダイヤルしていた時代は、何時にどこでと言えば約束に遅れないように皆努力したけれども、今は『ごめん10分遅れる！』とメッセージを送ればいいやと適当になってきている（もちろん自分のこと）」なんて、昭和の人間な発言をしてしまいます。

車にはほぼ興味がありませんが、美しくエレガントな１９６０年代のシトロエンが好きで、近未来的なデザインのテスラなんてお金があっても買うものか！と思ってしまうのです。

技術の進歩は素晴らしいことだと思うし、それが今まで人間がやりたい放題汚してきた地球を救うために役立つならなおさらけっこうなのですが、どうもビジュアル的に「近未来風」の建物や物には惹かれません。

ヨーロッパの魅力は、伝統です。アメリカのようについ最近作られた国でもなく、日本のように災害が多い国でもないので、古いものを残すことができるという幸運に恵まれています。「だから停滞して進歩しない」と嫌う人もいますが、目まぐるしく変化していく世界で古いものを守り抜くということは決して怠惰なのではなく、はかりしれない努力を要するものだと思っています。私は何かの縁でこのヨーロッパで生活することになった人間の一人として、人類の貴重な財産であるヨーロッパの歴史と伝統の継承にささやかながら貢献できるように努めたいと思っています。

なんて、偉そうなことを言ってみましたが、古いものには何だか安心感を覚える、「変わらないもの」というのはホッとするというのが一番の「古いもの信仰」の要因かもしれません。

私がフランスやヨーロッパが落ち着くと思うのは、身なりやら行動に関しても、とやかく干渉せず「放っておいてくれる」ことだと思うのですが、町も同じなのかなと感じています。

日本では鎌倉や京都などの古都が好きで、大学時代に帰りの横須賀線の中で居眠りをして乗り過ごすと、鎌倉で降りて散歩をしたものですが、どこかヨーロッパの町に似た落ち着きを感じるのは、町全体に同じような「調和」があるからなのかなと思います。

あらゆるものに対して「昔のものは良かった」信仰の私ですのでパリの住宅に関しても同じです。昔の建物の資材は頑丈で、土地の風土に合った、土地のものを使っています。「1000年前の教会と同じ石を使っていれば間違いない！」というわけです。パリ近郊、イル・ド・フランス地方産の石、フランス産の鉄材を使った、オール・メイド・イン・おフランスの建物の方が、遠いアジアの国から輸入した安い資材を使った現代の建物よりも頑丈に違いないと思うのです。

100年以上前のアパルトマン物件

先程のような理由から、私は家を買うなら1860年代から1930年代までの建物と決めていました。5年前に購入した念願のマイホームは、『モナ・リザ』がルーヴル美術館から盗まれた1911年の建築で（私にとってのこの年の大イベント）、建物のファサードは赤いレンガとタイル作り、入口のアーチの上にはギリシャ神話の登場人物ヘラクレスの彫刻が施されているというアール・ヌーヴォー様式の建物です。入口の扉は鉄枠とガラスなので非常に重く、気温が上昇すると鉄は膨張するので（エッフェル塔も変形します）夏は扉の開閉が難しくなります。

エレベーターはなく（エレベーターと管理人さんがつくと管理費が高くなるので）、毎日4階を上ります。階段や廊下はすべてフローリング。100年以上前に張られた木の床に、定期的にニスを塗ったり、共同スペースの掃除をしてくれる方がいらっしゃいますが、それは3か月に一度建物の中のアパルトマンの所有者たちが払う管理費で賄います。

我が家は53㎡の2LDKで、狭いですが3人暮らしで毎日外で活動しているので不自由はありません。人が泊まりに来る時は、リビングのソファベッドで寝てもらいますが、我が家は合宿的雰囲気は嫌いではないので地方から来る友人は大歓迎です（地方の大きなスペースに慣れた友人たちには落ち着かないとは思いますが）。

お父ちゃんの両親も、海外旅行の際に空港に向かう途中で宿泊していきますが、義母は「狭くて耐えられないから長居はしたくない」そうです（笑）。

キッチンは、リビング・ダイニングとつながった「対面式キッチン」「アメリカ式キッチン」と呼ばれる作りになっていて、家に人を呼ぶ機会が多いフランスでは、この作りがだんだん主流になってきています。

少し話はズレますが、日本人がパリの町をイメージする時に思い浮かべるオペラ座大通りやシャンゼリゼ大通りにずらっと並ぶ立派な石造りのアパルトマンは19世紀半ばから建築されたオスマン様式と呼ばれる集合住宅兼商店です。ナポレオン3世下の産業革命時に、パリの人口は2倍に膨れ上がりますが、大ブルジョワの裕福な家族や地方から上京してきた女中さんたちまで、あらゆる階級の市民を住まわせるために建てられました。

地階は商店、2階は主に商店の倉庫や商人の住まい、3階は「étage noble＝高貴な階」と呼ばれ、天井が最も高く、バルコニー付きの一番お金持ちが住む階で、最上階には彼らの女中さんが住んでいました。

高貴な階のアパルトマンはどの建物もほぼ同じで、寝室と寝室、書斎、ダイニング、応接間が一列につながった、いわゆるコネクティング・ルームになっています。廊下を挟んで反対側に台所があります。

実はこれは、あのヴェルサイユ宮殿をモデルにしていて、フランス革命以降力をつけたブルジョワ階級の人々は、19世紀になると貴族たちの宮廷ライフをマネするようになりました。応接間や寝室などの生活スペースと厨房を廊下で隔てるのは、家主家族とその客人たちが、使用人たちとすれ違わないようにするためです。

ヴェルサイユ宮殿も、王や王妃の居室は一列につながっていて、使用人たちは壁の裏の隠れ廊下を通っていました。オスマン様式のアパルトマンのキッチンには玄関とは別の扉があり、最上階の女中部屋に上がる階段があります。この階段は建物のメインの階段と違い、絨毯は敷かれておらず、狭く段差も高くなっています。

宮殿をマネたこのブルジョワの住居は、現代生活にあまり合っていないので、壁を撤去して一部屋一部屋のスペースを広げ、キッチンやバスを移動させて完全に間取りを変える場合もあります。

おフランスはリフォームが常識

フランスの住宅事情の、日本とのもう一つの大きな違いは、リフォームが常識ということ！

古い建物も壁を崩したり、キッチンやバスルームやトイレを移動させたり、好きなように作り変えるので、外から見ると古くても、扉を開けると真新しい機能的なキッチンやバスルームがあるのです。というわけで中古のアパルトマンは、同じ建物の中でも、家ごとに間取りが違う場合がほとんどです。

我が家のご近所さんのお家にお邪魔すると、大まかなキッチンやバスルーム、トイレの位置は同じでも（排水管の問題）、広さが微妙に違います。ある家はキッチンが広く、バスルームが極小だけど桶のようなバスタブがあったり。我が家は逆にキッチンが狭く、バスルームは比較的広くても、シャワーのみだったり。以前に暮らしたモンマルトルの建物のご近所さんに、1階と2階の全フロアを買って天井に穴をあけ、大きなロフトのような家に改造した精神科医のご夫婦がいらっしゃいました。1階はお二人の診療所、2階は暮らすスペースというわけです。

日曜大工は国民的スポーツ

そして、大工事はほとんどの方が業者に依頼しますが、ちょっとしたリフォームなら自分でやってしまう人が多いのもおフランス。ノルマンディの友人カップルのリフォーム（というかほぼ枠だけで一から建て直してますが）を手伝うYouTube動画も作りましたが、自分たちでフローリングを張ったりするくらいは割と普通のこと。

一戸建て住まいの家庭には、お父さんの日曜大工スペースがある家が多く、ガレージに置いてあるコンクリートの攪拌器を自慢気にみせられたこともあります（笑）。

なので、DIYのお店もいつも大賑わい！　日曜大工はサッカーやデモ行進に加えて、おフランスの国民的スポーツです。フランス人は自分たちが住むスペースを、自分好みにカスタマイズするのが大好きです。DIYのお店のレジで並んでいる時に（おフランスのレジは待ち時間が長いので）、他のお客さんが何を買っているかチェックするのが好きなのですが、ペンキの缶や、可愛らしい壁紙と専用の糊や刷毛を買う女性の姿もみかけます。

シングルマザーや独身のフランス人の女友達もハンドドリルを持っていて、自分好みの家具を作ったり、家具を取り付けたり、壁に穴をあけるくらいへっちゃらです。

そして、日曜大工をする時間があるのもおフランス（笑）。5週間の有給休暇や、RTT（労働時間短縮制度）を使って日曜大工を楽しみます。

中古の家を買う時は、そのまま何の工事もしないで入居する場合は別として、ペンキだけ塗り直す簡単なリフォームから、キッチンやバスルームを新しくしたり、間取りを変えたりする場合まであり、視聴者のお家の大がかりなリフォームの様子を見せるテレビ番組も大人気です。

我が家もかなりの改装が必要だったものの、急いで入居しなければならず、工事をしないまま引っ越してきてしまいましたが、これが大きなミスでした。住んでからキッチンやバスルームを改装するのは、至難の業。

というわけで、5年経った今も前の家主さんの年配のポルトガル人マダムの趣味が、成仏できない亡霊のように住み続けています。なんとかニワトリの絵が描かれたタイルが張られたキッチンは、お父ちゃんが1週間ほど工事をしてイケアのシステムキッチンに改装されましたが、サーモンピンクのタイルが張られたバスルームは未だに手つかずのままです。

新築の家はスタンダードなシステムキッチンの寸法に合わせて設計されているのかもしれませんが（新築でもキッチンはついてきません）、もともとキッチンやバスルームがなかった古い家の場合は、寸法を合わせるのが大変なのです。

我が家のイケアのシステムキッチンも、お父ちゃんが「ここを1センチ削って」「あそこを0.5

センチ削って」とデコボコのスペースに合わせるのが大変そうでした（笑）。「家の中をみせてほしい」というYouTube動画へのリクエストに未だにお応えしていないのは、そんな未完成の我が家を公開したくないというみえからです。

いつになったら完成するか分からない我が家。ひょっとしたら完成する前に売ってしまうかもしれません（笑）。おフランスでは中古の物件の価値が下がらないので、売却して再びローンを組んでもう少し広い物件を買うというのが一般的です。

ラッキーな人は、若い時に家族の援助で頭金をそろえて小さなワンルームを購入し、数年後にそれを売ったキャピタル・ゲインを頭金にして、家族でも住めるような大きさのマイホームを、ローンを組み直して購入します。

「マイホームをどのタイミングで購入できるか」で、その後の一族の運命は大きく変わってきます。お金持ちの資産家の御曹司ではなくても、小さなアパートを良いタイミングで買った両親からその物件を相続したおかげで、何の不自由もなく暮らしていける、という人もたくさんいます。

2003年を境に、パリの地価が高騰

2000年代初頭にパリ市内にアパルトマンを購入していた人は大変ラッキーでした。2003年以降、パリの地価が爆発的に高騰したからです。私がパリに住み始めた頃はモンマルトルはまだ庶民的で、家賃もとても安かったので学生の身分の私には非常にありがたかったです。当時はかろうじて庶民層の若者が住める界隈でした。ところが、2003年以降、突然モンマルトルの地価が高騰しました。聞くところによると、これはパリ全体に言えることなのですが、フランからユーロに変わって、同じ貨幣になった時にヨーロッパの他国の投資家たちが「パリって大都市なのに安いじゃん!」と気がつき、パリのアパルトマン買いがブームになったとのこと。

そして、当時はまだ穴場だったモンマルトルの地価はパリ市内でも特に安く、しかも映画『アメリ』で「パリっぽい魅力が残る界隈」として人気に火がついたために2003年からモンマルトルの地価が急激に高騰したのだとか。地価高騰の直前の2002年にモンマルトルにアパルトマンを購入した友人は、「買った当時の3倍の値段がついた」と言っています。

という風に購入する場所によっては、かなりのキャピタル・ゲインを得ることができ、そうでなくとも決して購入時よりも値段が下がることがないので、マイホームの購入はおフランスでは最も一般的な投資なのです。この投資をするのが早ければ早いほど、経済的安定を期待できるというわけです。貯金が少なくても、家を持っていれば老後の不安も比較的少ないのがおフランス。

Le Viager　ル・ヴィアジェ

おフランスには「Le Viagerル・ヴィアジェ」という面白いシステムがあります。

これはお年寄りが物件を売りに出す際の「ウィンウィン」な合理的システムで、物件の買い手は、まず「bouquetブーケ」と呼ばれる頭金を売り手のお年寄りに支払い、その後は毎月（4か月に一度、または年に一度の場合も）、売り手が亡くなるまで手当を払い続けます。つまり物件の最終的な価格は売り手が亡くなるまで分からないのです。

売り手のご老人が1年後に亡くなれば超格安で物件が購入できますが、予想外に大往生の場合は大損というロシアンルーレットな不動産購入のシステムです。

このシステムには空き物件の場合と、売り手が亡くなるまで住み続ける場合があります。後者の場合は、売り手が亡くなるまで物件に住めないので、マイホーム購入だと厳しいのですが、経済的に余裕のある投資家には人気の不動産購入システムのようです。手当の額は、物件の市場価格、ブーケの額、空き物件かどうか、そしてもちろん売り手の年齢によります。売り手が高齢であるほど、物件の値段は上がります。

このシステムを題材にした『Le Viagerル・ヴィアジェ』という1970年代のフランス映画があ

ります。劇中でミシェル・セロー演じる老人のかかりつけの医者が、「この老人は長いことない」と診断し、患者が持つ南仏の小さな家をヴィアジェで売却することを勧めます。「経済的な心配をすることなく安らかに老後を過ごせますよ」と患者に勧め、自分の家族には「長いことないから美味しい話だ」と共同購入を勧めます。

が、しかし……先は短いと思っていた患者はいつまで経っても元気（笑）。いい加減にしびれを切らした医者の家族たちは、あの手この手を使って老人を事故にみせかけて殺そうとするのですが、逆に自分たちが痛い目に遭うといういかにもおフランスな皮肉なコメディで、とても面白かったです。

「早く死んでくれれば得をする」という日本では道徳的にあり得ないシステムですが、人生も半分生きてみて、「老後」という言葉が日に日に視界に入ってくるようになると「奥の手」として使えるかなと思い始めています（笑）。

さて、気になるパリの不動産のお値段ですが、もちろん105平方キロメートルのパリ20区内には世界中の大富豪が所有するアパルトマンが集合する地域もあれば、麻薬依存者たちが昼間からゾンビのように徘徊するスラム街まであり、ピンキリです。

東京の山手線の圏内に収まるような小さな町に、平均的なフランス人の月収を一秒で稼いでしまう人々や、生活保護を受けながら生き延びる人々が共存しています。

パリで最もお高い区は、セーヌ河左岸の6区で1万6000€／㎡、最もお安い19区は

9600€/㎡。家族4人で住めるような70㎡のアパルトマンは、6区なら日本円で（1€140円として）約1億6800万円、19区でも約9400万円ということになります。治安の悪い界隈でも、マイホームをパリに購入しようと思うと庶民にとってはかなりの額になるのです。

「9000万円のアパルトマンを買えるなら、絶対にあんなスラム街に住みたくない」と思うのですが、それでも「パリ市内」というブランドにこだわったり、「いつかは開発が進んで治安も良くなるだろう」という期待から投資する人も少なくありません。実際に治安が改善された区域もあれば、相変わらず怖いままの区域もありますので、これは本当に賭けだなと思います。

「仕事はパリ市内だし、パリに住んでいたからパリに愛着があるけど、パリ市内にマイホームを買う予算はない」という一般庶民たちは、パリに隣接した郊外に物件を探します。

「パリ市内」はフランス語で「Paris intra-muros＝壁の内側のパリ」と言いますが、現在は壁ではなく、35キロの環状道路がパリと郊外の町を隔てています。パリは、首都でもあり、首府でもあります。そして町でもあり、県でもあるのです。

直接パリを囲む「La petite couronne＝小さな王冠」と呼ばれる県は3つ、ザクッと分けると西側はオー・ド・セーヌ県（92※県ナンバーで、車のナンバープレートについています）、東側をさらに南北に分けると、南がヴァル・ド・マルヌ県（94）、北がセーヌ・サンドニ県（93）となっています。この3県とパリを合わせても、面積は大ロンドンの半分です。

パリは非常に小さい首都ですので、パリ市内で働く人の多くがこの3つの県、もしくはもう一歩離れた4県（La grande couronne＝大きな冠）から車や高速地下鉄ＲＥＲ、国鉄ＳＮＣＦの電車に乗って通勤しています。このパリ市を含めた8県が、イル・ド・フランス（Ile de France＝フランスの島）と呼ばれる地域圏で、フランスの人口の18％、国内総生産の30％を占めます。

現在進行中の「グラン・パリ計画＝大パリ計画」では、パリと近隣の県の住民の生活を改善すべく、大・小の王冠〜パリ間の移動をスムーズにする公共交通手段の発展や、空港とパリ市内を結ぶ無人エクスプレスの開通に向けて工事が進んでいます。

２０２４年のオリンピックに向けて完成させる予定ですが、ただでさえ工事は公共のものでも数年単位で遅れるのが常識のおフランス……。そこへさらにコロナがやってきましたので、かなりの遅延が発生しているそうです。話はそれましたが、「パリの壁の内側」に住むということが、庶民にとっては年々難しくなりつつあるのです。

7章

Ryokoのパリガイド

パリで「奇跡の瞬間を味わえる場所」

マロニエの花咲く初夏のドーフィーヌ広場。

奇跡の瞬間が味わえる
Parisのお勧め7スポット

時代を超えて変わらないのがパリの魅力。パリでタイムスリップした気分が味わえるRyokoお勧めの場所です。それぞれ訪れたい季節、時間帯があります。P304〜参照。

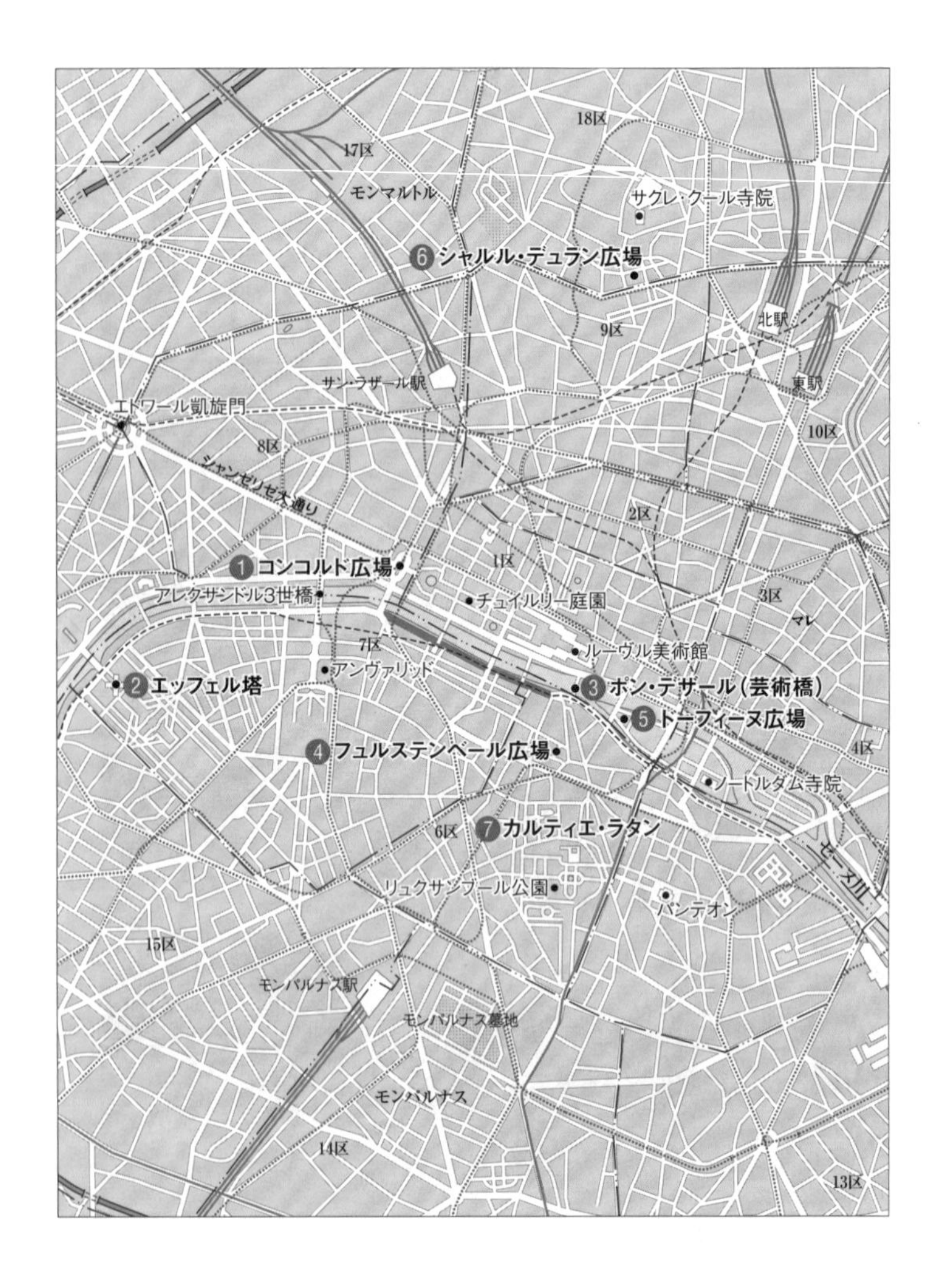

1

1. 夕暮れ時のコンコルド広場。2. パリ市内で高いところに上れば必ず見えるエッフェル塔。3. ミステリアスな夜のフュルステンベール広場。

2

3

1. 幻想的な夜のモンマルトル。2. 優雅なアレキサンドル3世橋。3. カルティエ・ラタンの名画座。4. カルティエ・ラタンのアメリカンダイナー。

1

2

4

3

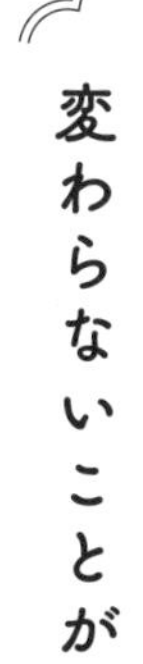

変わらないことがパリの魅力

世界中の人々が一度は訪れてみたいと思う町、パリの旅行者向けガイドブックや、素敵なパリ生活の様子を手記にした出版物、生のパリ情報を発信するインフルエンサーは、おフランスのチーズの種類くらい存在するかもしれません。

必見のモニュメントや美術館、美味しいお店、素敵なお店、今パリで買うべきお土産、といった情報は従来のガイドブックだけでなく、ＳＮＳを通してどんどん最新のものを得ることができるようになりました。特にコロナ以降、パリ在住のYouTuberもだいぶ増えたようで、情報源がさらに拡大しました。

私自身はコロナ以前はYouTubeといったら、日曜大工や料理のハウツーを見るくらいでしたし、インスタが何なのかもよく分かっていませんでした（未だに使いこなせていませんが）。「昔は良かった教」の信者としては、そういう新しいものについていけない、ついていきたいとも思っていなかったのです。

ところがコロナで失業した私を見て不憫に思った、時代の最先端を突っ走り大成功されたある女性実業家の方に「リョーコさん、YouTuberになったらえーねん！」と勧められ、彼女に教わりながら最初の一歩を踏み出してみたら、たくさんの方にご視聴いただけるようになりました。何より「旅行ができないコロナ禍で旅気分を味わえる」というメッセージをたくさん頂けることが本当に嬉しく、不器用でへたっぴで、マイペースにしかアップしないチャンネルではありますが、日本や世界中にお住まいの日本人の視聴者の皆様に「本当のパリやフランスを知ってもらいたい」という気持ちで動画を作ってきました。

一番嬉しいコメントの一つが「今までフランスに興味もなかったけど、リョーコさんの動画を見てイメージが変わった。初めて行ってみたいと思った」というものです。これはまさに私の狙うところでした（笑）。

ところで、私があえて「おフランス」と言うのは皮肉です。なぜフランスにだけ「お」をつけるのか、疑問ではありませんか？　赤塚不二夫さんの天才的なセンスの賜物ですが、確かにフランスといえば、洗練されていて、お洒落で、優雅な国というイメージです。「これはおフランス製ざますの」と言えば、どんな粗品も高級品に見えてしまう魔法の言葉。フランスと聞いただけで、世界中の人々が同じ反応をするはず。

一時帰国をした際に私の叔父が、従姉の子どもたちに我が家のお父ちゃんを紹介する時、「よーく見ておけ！　フランス人だぞ！　アラン・ドロンだぞ！　アメリカ人じゃないんだぞ！」と言っていたように、メイド・イン・フランスは物も人も特別感があるのです。

フランスがヨーロッパのトップ、世界のトップに上りつめたのは、フランス人が「Le Grand Siècle＝偉大なる世紀」と呼ぶ太陽王ルイ14世の時代。

コルベールという有能な大臣が推し進めた重商主義のおかげです。「贅沢な太陽王の贅沢品を、贅沢に外国から輸入し続けたら大変なことになる！」と、毛織物商人の息子だった働き者で賢いコルベールは、「だったらフランスで作って外国に売ろう」と考え、王立のマニュファクチュアを設立します。

例えば、あのヴェルサイユ宮殿の鏡の間。当時は鏡とガラスといえば、ヴェネツィア共和国でした。その高い製造技術は、決して外国に流出させてはいけないトップ・シークレットだったのですが、情報通だったコルベールは賃金に不満を持った職人たちをこっそりと引き抜いてきます。そして、彼らの指導のもと王立ガラス・鏡工場（これが現在のサンゴバン社）を設立し、本場ヴェネツィアでも作れなかった巨大な鏡を357枚も張った鏡の間を作ることに成功します。

こうして、それまで流行の発信地だったイタリアを抜いて、ヨーロッパ中の宮廷がヴェルサイユ宮殿を見本にし、マネし始めました。「おフランス」の始まりは、まさにヴェルサイユ宮殿なのです。

フランスの観光業や高級ブランドなどは、この「おフランス」のイメージのおかげで成り立っていますし、確かに今でもフランスの伝統工芸やグルメ、モードにも、「あ〜やっぱりおフランスね」と唸らせるセンスを感じます。それを守り続けるための誇りと、職人やアーティストを育てていく環境を整える国を挙げての努力の賜物だと思います。

とはいえ、別の章でもお話ししたように一般のフランス人たちの毎日の食生活は驚くほど質素、家具はイケア、6000万人のフランス人が皆お洒落なわけではありません。「何を着ようが自由」「人の目を気にしない」が鉄則ですから、説教したくなるようなひどい服装の人もたくさんいます（笑）。街を歩いていると、建物は美しくても衛生的には世界の先進国とは思えないほど仰天してしまうレベルの界隈もあるのです。

「おフランス」のイメージがひとり歩きして、フランスのある一面しか知らされていないからこそ、私は皮肉って「おフランス」と言いたいのです。かといって、フランスをバッシングしようとしているわけではもちろんありません。私は骨の髄までフランスが好きです。「なんでそうなるかなあ」と呆れることがあっても、私はこの国の歴史や文化や生き方に底なしの愛着があります。

特に私にとってパリという町は、「運命の人」のような存在。どんな欠点があろうと、愛さずにはいられないのです。別の章でもお話ししたように、それは「フランス人の人情」に支えられてきたことや、幸運なことに多くの理解者や友人に出会うことができたということもありますが、この町への特別な愛情は、嫌なことを一瞬にして忘れてしまう「マジカル・モーメント」のおかげなのです。

パリで「奇跡のような瞬間」が味わえる場所

「この季節、この時間、この場所でしか見ることができない奇跡のような瞬間」がパリにはあります。そして、「世界一美しい町」の歴史をひもといていくと、そこにはただ「美しい〜！」と感動するだけではもったいないエピソードが隠されています。掘れば掘るほど、歩けば歩くほど、発見がある町なのです。20年以上住んだ今でも、新しい発見や感動が絶えないからこそ、スリに遭っても、道端で罵倒されても、み知らぬ人と口論になっても、犬の落とし物を踏んでも、この町への私の愛情が消えることはないのです。

ガイドブックやメディア、SNSで紹介されるお店やカフェは、残念ながらあっという間に変わります。流行もあれば、経営者が代わってガラッと雰囲気が変わることも、質が落ちることもあります。それに、パリ旅行といっても、学生の貧乏旅行から、リッツ・ホテルに泊まって三ツ星レストランでお食事、というセレブ旅行まで、予算によってもご紹介する場所は変わってきます。

なので、ここではお店の紹介よりも、昔から変わらず、これからも変わることのない、私の好きなパリ、私なりのパリの楽しみ方をご紹介したいと思います。そして、みているだけでも満足な景色がさらにマジカルなものになるよう、おフランスの歴史、そして私の実体験を交えて語らせていただきたいと思います。

私にとってパリは熟年の美人。真昼の太陽の下で見てしまうと、みえなくてよいところまで見えてしまい、ミステリアスな美しさが台無しになってしまうのです。

パリが最も美しいのは、夜。街灯が灯されてから、夜が明けて空がほんのりピンク色に明るくなって街灯が消えるまで。Ville Lumière＝光の都と呼ばれるだけあって、これほど夜景が美しい町は世界中にないと思います。おフランスは屋内も町も「間接照明」。ほんのりと温かいロウソクのような灯りでライトアップされます。蛍光灯などもってのほか！　毛穴まで見えるようなライティングは絶対にあり得ません。

東京やニューヨークのようなギラギラした看板がなく、カフェやレストランの心地よい灯りと街灯のみ。コンビニのあの眩しい灯りはパリでは許されません。日本の照明になれていると「暗い」と感じるかもしれませんが、私はこの暗さが好きです。冬は寒く、夜は暗くなければいけません。夜や早朝は人が少なくなるということも、町を美しくしている要因の一つだと思います。世界中の旅行者が集まる観光地ですから、昼間はどこへ行っても人、人、人……ところが夜や早朝に人気が少ない町を歩くと、はっとする美しさに息をのむ瞬間があります。

ほのかな街灯の灯りに照らされた何世紀も変わらない風景の中に、ぽつんと一人佇んでみるとタイムスリップしたような錯覚を覚えます。私は自分が生きたこともない時代（19世紀末や１９２０年代、もしくは1950年代か60年代）にノスタルジーを感じているので、突然タイムスリップするこの魔法のような瞬間が病みつきでパリに住みついていると言っても良いくらいです。

ニューヨーク出身の監督ウッディ・アレンの『ミッドナイト・イン・パリ』という映画があります。この映画を見て「私の妄想とまったく同じ！」と思ったものです（笑）。印象派や後期印象派の画家たちの生きた19世紀後半から20世紀前半、フィッツジェラルドやヘミングウェイ、ダリ、ピカソ、モディリアーニといった世界中のアーティストたちが同じ時に同じ町にいた20世紀前半の狂乱の時代、パリはまさに世界の中心でした。「そんな時代のパリに生きてみたかった！」という願望が、深夜を過ぎたパリの町を徘徊していたら叶ってしまったというあらすじです。

実際に私も夜のパリを歩きながら、タイムスリップしたような錯覚を覚えて「ひょっとしたら異次元に迷い込んでしまうかも？」と思ったことが何度もあり、「ウッディ・アレンに先を越された」と勝手につぶやいています。

これはフランスの地方でも、イタリアの町でも同じですが、古い町並みが変わらず残っているヨーロッパの古都では、ふとした瞬間に映画のワンシーンにいるような、タイムスリップをしたような錯覚を覚えます。私にとって、これほどロマンチックな体験はありません。

「夜の人気のない町を徘徊してください」なんて、危険なことを推奨するガイドだと思われるかもしれませんが、安全に夜の町を楽しむ術もあります。それに、日中より人が少ないということは、スリに遭遇する確率も下がるということです。

実際、20年以上パリで生活していて、すられたのは夜間ではなく昼間の混雑した時間帯です。さすがに終電がなくなる夜中の1時過ぎに女性の一人歩きはお勧めいたしませんが、中心部では昼間よりも人通りが少なくなるとはいえ、終電前ならば常に人通りはありますし、カフェやレストランも深夜まで営業しています。

中心部に泊まるチャンスがあり、時差ぼけで早朝に目が覚めてしまったら、うっすらと夜が明ける時間の散歩もとてもロマンチックです。ここでは、夜になっても人通りのあるパリの中心部に限定して私のパリの「マジカル・モーメント」が味わえる場所をご紹介します。

1. コンコルド広場の日暮れ時

最初にご紹介する私のマジカル・モーメントの舞台は、コンコルド広場の日暮れ時です。コンコルド広場は、新凱旋門（1989年、革命200年の年に完成したパリ市外のラ・デファンス地区の近代的な凱旋門）→凱旋門→シャンゼリゼ→コンコルド広場→チュイルリー庭園→カルーゼル凱旋門（こちらもナポレオンが作らせたミニ凱旋門）という8キロの直線状の軸、その名も「パリの歴史軸」の線上にある、パリ最大の広場です。

フランス革命期には「革命広場」と呼ばれ、あのマリー・アントワネットがギロチン台の露となって消えていった血なまぐさい歴史の舞台として有名ですが、私にとってこの広場ほどパリの歴史、フランスの歴史が凝縮され、「おフランスの誇り」に圧倒される景観はないと思います。

コンコルド広場から少しズレますが、パリの歴史軸の東端にあるルーヴル宮殿は、「権力の宮殿」とも呼ばれ、代々の国王や皇帝、共和国大統領に至るまで、時代や政権は変わりつつ「偉大なおフランスのシンボルとなる宮殿を作るゾ!」という共通のスローガンのもとに400年の年月をかけて完成したものです。

ルーヴルをガイドしている最中に「誰が作ったんですか?」という質問をよく受けるのですが、ヴェルサイユ宮殿とは違い、一人の王様が作らせたのではなく、16世紀から20世紀まで少しずつ増築されていったものだとお話をすると皆様大変驚かれます。それは建物全体に調和があるからでしょう。一人の王や皇帝が、「俺様の作った部分だけカッコよく見せよう!」と自己主張することなく(よく見るとさりげなくマーキングしていますが)、志を一つに、全体の調和を重んじながらこれだけの巨大な宮殿に仕上げたところに、私はおフランスの偉大さを感じます。マクロン大統領が、2017年大統領選挙後の勝利演説の場所にルーヴル宮の広場を選んだ理由もそこにあるのではないかと思います。

コンコルド広場から見えるパノラマも、代々の治世者たちがバトンタッチしながら「おフランスの栄光」を誇示すべく作り上げたものですが、奇跡的なまでに調和がとれた圧巻の美しさです。おフランスという国が、世界中に「どうだ、参ったか？　こんな町は誰にも築けんぞ！」と言わんばかりなのです。

毎年7月14日の革命記念日では、軍隊パレードが凱旋門からコンコルド広場まで、シャンゼリゼの並木大通りを2キロ下り、広場に設置されたステージにいる共和国大統領に敬礼します。そもそも凱旋門とは、戦いに勝利した軍隊がくぐるための門。古代ローマ帝国のならわしです。それをマネしてパリにもローマのような凱旋門を作らせたのが、皇帝に上りつめた俺様軍人ナポレオンです。確かに、あのドーンと高台に立った凱旋門から、軍隊が広々としたシャンゼリゼを下る様子には、圧倒的な迫力があります。

だから大統領が当選した時も、ワールドカップでフランスが優勝した時も、勝利のシンボル凱旋門からコンコルド広場まで延びるシャンゼリゼ大通りをパレードするのです。

そしてparadeという言葉はフランス語で「どや顔でえばりくさる」という意味があります。シャンゼリゼはパレードのため、つまり「どや顔でえばりくさる」ための大通りなのです。

このシャンゼリゼの起点、終着点がコンコルド広場なわけですが、「コンコルド」とは「和平」という意味で、大革命後「いろいろあったけど、まあ皆で仲良くしよう」ということでつけられた名前です。もともと「ルイ15世広場」と呼ばれていました。「最愛王」の名で知られるルイ15世（ギロチンで処刑される16世のおじいさん）の快気祝いに、パリ市がプレゼントした王の騎馬像を置くための、Place Royale（国王広場）として作られたのです。

整った顔と、愛妾の数と、ゆで卵の殻を一瞬にしてとる芸以外はあまり自慢できることがなく、七年戦争に負けて宿敵イギリスにアメリカ・カナダの植民地を奪われ、財政を悪化させておきながら、女性や獣の狩りに明け暮れ、華やかなロココの時代を好き勝手に生き、「後は大変だろうが頑張れ」と気弱な孫息子ルイ16世と、大国の王妃の自覚など微塵たりともなかった無邪気なマリー・アントワネットに言い残し、最後は天然痘で亡くなった王様です。

そんなルイ15世の凛々しい騎馬像を置くための広場を作ることになり、選ばれたのが当時は娼婦や男娼のたまり場だったシャンゼリゼ通りと、チュイルリー庭園の間にあった更地でした。この更地の北側に左右対称の美しい新古典様式（ギリシャ・ローマ神殿のような大きくてまっすぐな柱が特徴）の建物を、ロワイヤル通りを間に挟んで建てさせます。

一番西側のオテル・クリヨンは、現在超高級パラスホテルとなっている館。東側はオテル・ド・ラ・マリーヌ。海軍省の建物になる前は、王家の宝石や調度品のコレクションが保管されていました。ここで王家の宝石が革命の最中に大量に盗まれます。

この広場の中心にイケメン王ルイ15世の騎馬像が置かれましたが、まもなくやってくるフランス革命でもちろん撤去され、あっけなく溶かされます。

代わりにギロチン台が置かれ、１０００人以上の王族・貴族や庶民が処刑されたことは、あまりにも有名ですが、実は最初のギロチン台の犠牲者は、王家の宝石を盗んだ犯人たちでした。「犯行現場の目の前で処刑を」ということで、この広場が選ばれたわけです。

そして、遂に革命の混乱の大波に乗って、フランス史の俺様ナポレオンが登場してきます。「うちにも革命が起きたら大変だ！」とヨーロッパの諸王国との間に起きた革命戦争で、次々勝利し、あれよあれよという間に皇帝にのし上がった天才軍人ナポレオン様は、強い軍人のシンボルである古代ローマ皇帝をきどり、ロワイヤル通りの北に自らの軍隊の栄光を称える古代ギリシャ・ローマ風「俺様神殿（後のマドレーヌ寺院）」を建設させ、セーヌ河を挟んだ正面向かいに、革命以降国民議会の議事堂となっていたブルボン宮を、これまた古代の神殿風にリメイクさせます。コンコルド広場の真ん中に立つと、正面は凱旋門、左右には同じようなギリシャ・ローマ風神殿が向かい合っているということです。

この二つの神殿風建物を結ぶコンコルド橋もまた、ただの橋ではございません。フランス王家の圧政のシンボルであるバスティーユ牢獄を民衆が襲撃した事件で、フランス革命の火蓋が切られますが、この橋はバスティーユ牢獄を解体した石でできている、といういわくつきの橋です。

お調子に乗りすぎて英雄から侵略者となり、島流しにされたナポレオン。

次にやってきたのは、兄ルイ16世が窮地に立たされるとそそくさと逃げていたくせに、ナポレオン失脚とともにシレッと戻ってきた二人の弟たち。「革命なんてなかったことにしようぜ」とばかりに国王の座につき、反乱癖のある自国民を甘く見て絶対王政時代に戻そうとするや否や、再び革命が起きて（この革命を描いたのがあの有名な『民衆を率いる自由の女神』）、あっけなく追放されます。

後釜に座ったフランス最後の国王は、ブルボン家の分家筋オルレアン家のもみあげがご立派なルイ・フィリップ・ド・オルレアン。これが１８３０年から始まる七月王政（英国と同じ立憲君主制）です。この時代に、エジプトからプレゼントされたオベリスクと、ローマのバチカン広場の噴水をモデルにした二つの噴水が置かれ、現在の華麗な姿になりました。

このコンコルド広場、実は広すぎてどこからみたら良いのか迷ってしまうのです。写真撮影もなかなか難しいのですが、お勧めのスポットがあります。

広場の東側には、チュイルリー庭園の入口があります。庭園の門の前に立ったら、庭園に入らず、壁に沿ってセーヌ河方面へお進みください。角に差しかかるところに小さな入口があります。そこの階段を上ると、モネの睡蓮の連作で有名なオランジュリー美術館の前に出てきます。

チュイルリー庭園は今はなきチュイルリー宮殿の庭園。チュイルリー宮殿は、16世紀にメディチ家からアンリ2世（20歳年上の愛妾に夢中だった王様です）に嫁いできたカトリーヌが、「田舎臭いフランスにイタリアの粋な宮殿と庭園を」と作らせ、マリー・アントワネットも牢獄に送られる前にしばらく住んだご立派な宮殿でしたが、１８７１年に焼失します。

このチュイルリー宮殿の庭園内に、冬の間オレンジの木を保管しておく温室（オランジュリー）を、1852年に建造させたのは、「なんだかんだいって、やっぱりナポレオンはすごかったよな」という、ナポレオン崇拝ムードの波に乗って、御家再興を狙い、あれよという間に大統領から皇帝の座に上りつめたナポレオンの甥っ子、ナポレオン3世ことルイ・ナポレオンでした。中世のパリの町並みを現在の姿に変えさせたパリ大改造の立役者です。

このオランジュリー美術館の入口前に上ると、1889年、ライバルのイギリスに追いついた証でもある産業革命のシンボル、あのエッフェル塔が見えます。

セーヌ河、コンコルド橋、ブルボン宮、エッフェル塔、オベリスク、シャンゼリゼ大通りの車の白と赤のライトがまっすぐ凱旋門に延びていく、そして荘厳な双子のクリヨン館とラ・マリーヌ館……このチュイルリー庭園の高台に立った時に見える景観からは、「どやっ！　これがおフランスやっ！」という国家のプライドをまざまざと感じさせられます。

夕暮れ時にこのオランジュリー美術館の前に立ってみてください。そしてピンクと青の2色の空を眺めながら、日が沈むのを待ちます。するとある瞬間、まるで魔法の杖で灯されたかのように、広場を囲む街灯が一斉に点灯して、広場が光の海になるのです！

その瞬間に居合わせた時の感動といったらありません。冬ならば19時頃には暗くなりますが、まだ人通りもあります。ぜひ一度、この瞬間におフランスの歴史が凝縮された広場のマジカル・モーメントを体験してみてください。

2. 夕焼けに浮かぶエッフェル塔

美しい夜景といえば、まず思い浮かべるのはエッフェル塔ですが、有名なトロカデロ広場は常に観光客で溢れているので、私はそれほどロマンチックだと思いません。

ライトアップされたエッフェル塔がドーンと目の前にそびえたつ光景に圧倒はされますが……。

エッフェル塔は、個人的には遠くからみる方が好きです。パリを散策中に、ふとあの姿がみえる時があって、「あ、こんなところからもみえるんだ」となぜか嬉しくなる。これもまたパリのマジカル・モーメント。日本で富士山がちらっとみえると嬉しいのと同じ感覚かもしれません。

私は夜のエッフェル塔は橋の上から眺めるのが好きです。

コンコルド広場からシャンゼリゼを上る途中、左に鉄とガラス屋根の巨大なグラン・パレ宮殿が、その正面には、小さいながらも豪華絢爛なアール・ヌーヴォー様式のプティ・パレ宮殿がみえてくる交差点に着きます。

グラン・パレとプティ・パレの間を進むと、72年の在位中戦争ばっかりしていたルイ14世が罪滅ぼしに建てさせた廃兵院（アンヴァリッド）があります。名前はなんだか華やかさに欠けますが、パリでも一際目立つ金ぴかのドームに、ヴェルサイユ宮殿を作らせた太陽王の「俺様趣味」がうかがえます。皮肉なことに、このドームの下に眠るのはもう一人の俺様、ナポレオンなのですが。

その廃兵院に向かって、弧を描くように豪華な街灯が並ぶ、まるでディズニー映画のプリンセスが着るドレスのような、もしくはウエディングケーキのようなゴージャスな橋がアレクサンドル3世橋です。

この橋はグラン・パレやプティ・パレと同時に、1900年のパリ万博のために架けられたもので、セーヌ河をまたぐ37本の橋の中で最も豪華絢爛、優雅な橋です。

ロシアとの友好の証に架けられたものですが、グラン・パレ、プティ・パレ、そして1889年の万博の呼び物だったエッフェル塔同様、当時の近代化のシンボルであった鉄を使い、万博という世界の注目を浴びる晴れ舞台で、おフランスの美的センスと高い技術を世界中にみせつけようとした意図が読み取れます。

こちらも「おフランスのプライド」が凝縮された景観ですが、どこか男性的な「どや！」というコンコルド広場よりも、ベルエポックならではの、より華やかで優雅で女性的な魅力のある景観だと思います。

夕焼けに浮かぶエッフェル塔のシルエットを眺めながら、シャンデリアのような街灯が点灯した瞬間、映画のヒロインになった気分を味わえるマジカル・モーメントです！

3. 霧が立ち込める冬の「芸術橋」

アレクサンドル3世橋からコンコルド橋とセーヌ河を上流に進んでいくと、左に広大なルーヴル宮が見えてきます。そして、パリ発祥の島と言われるシテ島に辿り着く一歩手前に、私が個人的にパリで一番好きな橋、芸術橋＝Pont des Artsポン・デザールがあります。

もともとナポレオンの命によって架けられた橋で、おフランスの知の殿堂である左岸のフランス学士院から、当時のPalais des Artsパレ・デザール（芸術の宮殿）、現在のルーヴル美術館のCours Carréクール・カレ（方形の中庭）に向かって延びていることから、芸術橋と命名されました。

パリで初めて鋳鉄を使い、１８０４年に完成したこの橋の一番の特徴は、歩行者専用であること！鉄枠に木の板が張られた橋で、ピンヒールだと上を向いて歩けないのですが、橋の真ん中にベンチがあり、お天気の良い日には日光浴をする人もいれば、若いパリジャンたちが地べたに座ってピクニックをしたり、ギターを弾いたり、大道芸人がいたり。セーヌ河に浮かぶなんともロマンチックな広場のような空間です。あまりにロマンチックなので、誰が思いついたのか、この橋の欄干に「愛の南京錠」をかける儀式が、ちょうど私が移住した頃に流行し始めました。愛する人とイニシャルを刻んだ南京錠を橋の欄干に取り付け、鍵をセーヌに放り投げると永遠に結ばれるというなんとも迷惑な儀式で、橋が南京錠の重さに耐えられず崩壊の危機にさらされたので、無残に撤去されました。「鍵をかける＝相手を束縛する」というシンボルが「ちっともロマンチックじゃない」という多くのフランス人の意見に賛成だったので、撤去されて橋が本来の美しさを取り戻してくれたことは朗報でした。

この橋は、決してただの通り道ではありません。足を止めずに渡ってはいけない橋です。20年以上住んでいても、何回通っても、何時に通っても、必ず止まって眺めを楽しみます。この橋の夜景もまた大変有名で、何度も映画やドラマに登場してきます。私と同世代の女性にピンとくるのは、SATC『セックス・アンド・ザ・シティ』の最終回でビッグとキャリーが結ばれるハッピーエンドのシーンではないでしょうか。

確かにほんのり間接照明でライトアップされたフランス学士院やルーヴル、オルセー美術館、エッフェル塔、パリ最古の橋ポン・ヌフ（新橋という意味）や、遠くにはノートルダムのシルエットもみえて、これほど夜景が美しい橋はないと思います。

「セーヌ河はパリで最も美しい道」と言われますが、そこに架かる橋からの眺めの中でも、私はこの「知の殿堂」と「美の殿堂」をつなぎ、パリ発祥の島を眺めることができる橋がシンボル的な意味でも一番好きです。

そして、この橋の特徴は車が通らないということ、鉄と木のシンプルな作りであること、そして「薄暗い」ということ。これがまたよろしいのです。コンコルド広場やアレクサンドル3世橋のゴージャスな雰囲気よりも、どこか落ち着いたムードが、私の中では最もパリっぽいイメージなのです。夜この橋を渡ると、必ず街灯の下で熱烈なキスを交わすカップルに遭遇するのも納得できます。(笑)

夜の芸術橋ももちろんロマンチックなのですが、霧が立ち込める冬の朝、芸術橋の真ん中に立って、シテ島を眺めながら冷たい空気を吸い込む瞬間が、私のマジカル・モーメントです。

滅多に早朝にこんなところにいることもなくなりましたが、オルセー美術館の真横に住んでいた時の特権の一つは、好きな時間にセーヌ河岸を散歩できたことでした。

人通りの少ない早朝に、うっすらと霧のヴェールがかかったシテ島の先端とポン・ヌフを眺めながら、深呼吸をします。

おそらくパリに憧れていた頃、大好きな写真家アンリ＝カルティエ・ブレッソンの芸術橋から撮ったポン・ヌフの写真のイメージが焼き付いていたから、この眺めに特別な感情を抱いているのかもしれません。

この風景を眺めることができた幸せを噛みしめて、私の第二の我が家、ルーヴルの東門前を通り、20年前から通うカフェ、Le Fumoirでコーヒーを飲む。これが私の冬のマジカル・モーメントです。

冬の朝のパリは、霧が立ち込めることが多いので、見慣れた景色やモニュメントがさらに幻想的にみえます。早起きは三文の徳。人通りも少なく、スリも活動する前に、幻想的な霧のヴェールに包まれたお気に入りの風景を独り占めしてみてはいかがでしょうか?

もちろん、その後は開店間もないカフェで、出勤前のパリジャンたちに交じってコーヒーとクロワッサンを!

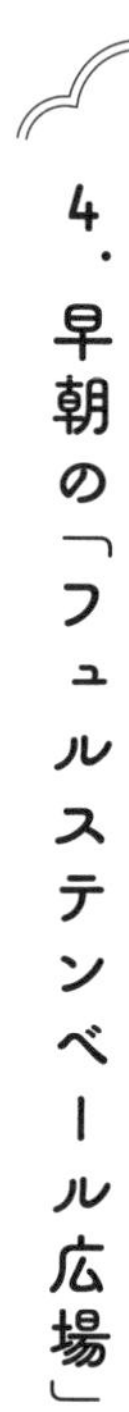

4. 早朝の「フュルステンベール広場」

「通るだけで、ため息が出ちゃう」パリはそんな場所に溢れています。

芸術橋（Pont des Arts）から左岸に渡り、フランス学士院の横を南に進むと、お洒落な商店街ビュッシ通りに抜けます。ビュッシ通りをサンジェルマン・デ・プレ教会側に進み、Le Chai Saint Germainというセレブにもよく遭遇する「いかにもパリ」というカフェの角を右に曲がって進むと、フュルステンベール広場（Place Fürstenberg）に辿り着きます。

東京でいう青山のようなセレブな雰囲気のサンジェルマン・デ・プレ界隈（Saint Germain des Près）ですが、大昔は牧草地（près）が広がっておりました。

紀元6世紀に、キリストが磔刑に処された十字架の破片（とされるもの）という貴重な聖遺物を奉納する修道院が創建されます。

次第に領地を広げ、広大な農地と農民を所有し、莫大な財力を誇ったサンジェルマン・デ・プレ修道院のはじまりです。フランス革命で大部分が破壊され、現在は修道院のほんの一部分と、パリ最古のロマネスク様式の鐘楼が目印の教会が残っています。

フュルステンベール広場は、サンジェルマン・デ・プレ修道院の中庭だった部分に作られました。現在ドラクロワ美術館がある広場ですが、広場の建物の1階には厩舎があり、上階には使用人たちの住居があったそうです。

この広場のように、もともとあったものが紆余曲折あって姿を消し誕生した不思議な空間、というのが歴史あるパリの町にはあちこちに点在しています。

大通りの裏道を歩いていたら突然、「あれ？　こんなところに広場がある！」と驚くことがあります。こんな発見があるからこそ、20年住んだ今もワクワクするのです。

この広場は「パリで最もロマンチックな広場」として割と有名なのですが、パリに移住して間もない頃、カルティエ・ラタンで一日中映画を見た後、冬の夕方に偶然通りかかった時はその美しさに感動して、ぼんやり口を開けてその場から動けなくなったのをよく覚えています。小さな広場の灯りは、中心に立つ5つのランプがついた街灯のみ。そのポツンとした薄明かりが醸し出すミステリアスな雰囲気が、この広場の魅力。『ハリー・ポッター』シリーズのスピンオフ・シリーズ『ファンタスティック・ビースト』で、魔法省フランス支部がある広場として撮影に使われたのもうなずけます（笑）。

教会前のドゥー・マゴやフロールなどの高級カフェ、ルイ・ヴィトンのブティック、老舗のブラッスリー・リップで有名な交差点から目と鼻の先にもかかわらず、サンジェルマン・デ・プレの喧噪が嘘のような、パリの歴史が作り出した奇跡のような広場です。

この広場もまた霧が立つ人気の少ない冬の朝や、夜にお立ち寄りください。マジカル・モーメントを体験できること間違いなしです。

5. マロニエの花咲く「ドーフィーヌ広場」

「早朝も夜も怖くて出かける勇気がありません」という方にお勧めな広場ももちろんあります。ご紹介した場所はもちろん昼間でも美しいのですが、長い冬が終わって並木が緑に覆われる時期は、パリが最も美しい季節の一つ。19世紀の上流階級の皆様は、この時期にパリに滞在していました。

素肌にニットとジーンズ、秋からへビロテだったブーツを脱いで、素足でバレエシューズを履けるような気持ちの良い気温になった5月は、時間を忘れてお散歩を楽しんでください。

このシーズンにパリにお越しの際、ぜひ立ち寄っていただきたい広場は、パリ発祥の島と言われるシテ島の先端にあります。

パリ最古の橋ポン・ヌフが一度途切れる部分に、アンリ4世という王様の騎馬像があります。16世紀にフランスを二分していたユグノー対カトリックの宗教戦争を終結させた偉い王様です。「良王」と呼ばれ、「国民が日曜日にpoule au potという鶏のポトフを食べられるように」と願う国民思い、女性と生のニンニクが大好き、その体臭とニンニク臭で有名だったチャーミングな国王でしたが、残念ながら狂信的なカトリック信者に暗殺されてしまいます。

そのアンリ4世の凛々しい騎馬像は、セーヌ河の方ではなく、二つのレンガ造りの建物の間を向いています。船の舳先のように三角形にとがったシテ島の先端に立っているので、「セーヌ河の方を向いている方がカッコいいのにな」と首を傾げたものですが、それもそのはず。アンリ4世は、1607年に息子ルイ13世に捧げるために作らせた広場、ドーフィーヌ広場の方を見守るように向いていたのです。

ドーフィーヌとはイルカという意味もありますが、フランス王家の王太子のことを指します。

アンリ4世の視線を追って進んでいくと、突然まるで映画のセットのような広場に辿り着きます。この広場もまた「こんなところにこんな広場があったの?」という意外な空間。なぜかというと、橋からアクセスする広場の入口は二等辺三角形の頂角になっているので、入口が狭く、ポン・ヌフを渡っていても気がつかないのです。

7年間働いた左岸のオデオンにあったジュエリー店に通勤する際、蘇った老舗デパート、サマリテーヌ前のポン・ヌフ駅で降りて、ポン・ヌフを渡り10分ほど歩いて通っていました。その途中にあるこの広場に寄って、ベンチでサンドイッチを食べてから午後出勤、という日もありました。

ある日、背の低い木が鮮やかな緑の葉っぱに覆われていて、そこにショッキングピンクの可愛らしいお花が咲いていることに気がついたのです。基本的に植物オンチな私は、当時それがマロニエの木であることも、マロニエの木に花が咲くことも知りませんでしたし、日本人ですがそれほどお花見に興味もありません（それでも一応お気に入りのお花見スポットはあります。ノートルダム寺院の後方にあるSquare Jean XXIIIという公園に向かうセーヌ河沿いの遊歩道の桜が私は一番好きです。ノートルダム、セーヌ河、桜が一緒に目に飛び込んでくると、これもまたマジカル・モーメントです）。

若い頃は「パリといえば鉛色の空よね」「パリが一番パリらしいのは枯れ葉の時期」「太陽は私を憂鬱にさせる」などと、頭が良さそうに聞こえることを言っておりました。

植物も、陽気なお天気も、株価の変動と同じくらい興味がなかった私が、ある日突然この広場のマロニエの木と花、雲一つない青空、頬を照らす太陽に「あ〜なんて綺麗なんだろう！」と感動したのです。

カフェのテラスで、長い冬が終わって嬉しそうにランチをする大人たち、ジタンのアコーディオン奏者が奏でる『パリの空の下で』のメロディ。「はい、カット！」という映画監督の声が聞こえてきそうな、嘘のように美しく、陽気で、詩的なマジカル・モーメントでした。

それ以来、毎年マロニエの花が咲くシーズンには必ず寄るようにしています。

この広場の特徴は、同時代に同じアンリ4世によって作られたマレ地区にあるパリ最古の国王広場、ヴォージュ広場と違い、ひっそりと隠れているということ（ヴォージュ広場の真ん中には息子のルイ13世の騎馬像がありますが、可哀想に木に囲まれて台座しか見えません）。

二等辺三角形の広場を囲む建物の1階には商店がほとんどなく、アトリエやカフェやレストラン、マロニエの木、街灯、ベンチ、すべてが映画のセットのようで、「いかにもパリ」な雰囲気を醸し出しています。

二等辺三角形の頂角は、ポン・ヌフ側で（西）、左右の2辺（北と南）はカフェやレストラン、住宅の建物、底辺部分（東）は最高裁判所の大階段。ということで、広場は人と車の通りが多い橋や河岸の道から遮断されているので、「パリのおへそ」にあり、周りは賑やかなのに、ここだけはとても静かな異空間なのです。

ノートルダム寺院からも徒歩で10分ほど、美しいステンドグラスで有名なサント・シャペルがある最高裁判所のすぐ裏に位置しています。サマリテーヌや、ルーヴル美術館からももちろん徒歩圏内。観光スポットの中心にありながら、ほっとできる広場です。

ドーフィーヌ広場は、『ミッドナイト・イン・パリ』にも登場した霧が立ち込める夜も素敵ですし、SATCのキャリーのように、枯れ葉のシーズンにお散歩をするのも雰囲気があって捨てがたいです。ちなみにシャンソンの王道『枯葉』を歌ったイヴ・モンタンと、フランス人女優で初めてアカデミー主演女優賞を獲得したシモーヌ・シニョレの伝説的カップルも、この広場の15番地に住んでいました。

私はこの広場に来たら「Paul」というビストロ&カフェを利用していますが、ベンチに座って休憩したり、ペタンクで遊ぶパリジャンを眺めるだけでも、素敵なパリ時間を過ごせること間違いありません。

6. 人情溢れる「シャルル・デュラン広場」

さて、ここまでパリが初めての方でも行きやすい、パリ中心部の「リョーコのマジカル・モーメント・スポット」(笑)をご紹介してきましたが、日本人旅行者に恐れられる私の心のふるさと、モンマルトルをご紹介しないわけにはいきません。

YouTube動画も作りましたが、私のパリ愛はモンマルトル愛です。正直、ルーヴルとモンマルトルがあれば生きていけます。なぜそんなに好きなのか……それだけで本が一冊できてしまうので、ここではお気に入りの広場のお話をしようと思います。

今さらですが、なぜ私が先ほどから広場ばかりご紹介しているのかというと、広場こそ最もパリらしいというか、おフランスらしい、もっと言えばヨーロッパの町には欠かせない空間だからではないかと思うからです。

広場とひとくちに言っても、最初にご紹介したコンコルド広場や、ホテル・リッツがあるヴァンドーム広場やヴィクトワール広場など、もともと国王の威厳を誇示する目的で騎馬像を飾るための「宝石箱」のように作られた広場や、牢獄跡に作られたバスティーユ広場、共和国広場など、大通りと大通りを結ぶロータリーとなった大きな広場もありますが、小さな憩いの場となっている広場も町のいたるところに存在します。

公園と違い囲いがなく、道と道に囲まれて形成されたスペースで、周りの建物の地階にはカフェやレストランがあり、街灯や並木に囲まれていて、中心には噴水やメリーゴーラウンド、そして必ずベンチがあります。カフェに入らなくとも、誰でも座って一休みすることができる、そんな小規模な広場が一番落ち着きます。

アメリカ映画が作るパリの舞台セットには、必ずと言ってよいほどそんな広場が登場します。

広場、カフェ、ベレー帽とバゲット、そこにアコーディオンのＢＧＭを流せば即席パリの出来上がりです。

実はパリの中心部を少し外れると、小さな教会前に広場があったりするのですが、これはその界隈が、1860年までパリ市外の村だった時代の名残です。

フランスやヨーロッパには、必ずどこの村にも教会があり、その教会前の広場が、その町の中心になっていることが多いのです。マルシェが開かれるのも、お得意のデモや、夏のコンサートなどのイベントが開催される、「lieu de vie＝生きる場所」なのです。

大都会であっても常に動き続けるのではなく、足を止めて「ちょっと一休みしよう」と誘ってくるような街づくりというのは、とてもヨーロッパ的な気がします。

ドーフィーヌ広場もそんな広場の一つですが、私がこよなく愛するモンマルトルで一番好きな広場は、有名な似顔絵描きの画家たちで賑わうテルトル広場ではなく、サクレ・クール寺院行きケーブルカー乗り場がある通りと、メトロが通る大通りの間にある、小さな劇場前のシャルル・デュラン広場(Place Charles Dullin)です。

以前、この広場から徒歩1分のところに住んでいたので特別な愛着があるのですが、ここもまたパリの魅力が凝縮された空間です。この広場にあるThéâtre de l'Atelierという劇場は、有名な映画俳優のパフォーマンスが見られることで知られています。

モンマルトルを舞台にした、幼馴染の女性二人を描いた『ミナ』(1994年公開)で出会って以来、私の中で「自然体でカッコいいパリジェンヌ」のシンボルとなったロマーヌ・ボーランジェの一人芝居を、生で！　目の前で！　見ることができた思い出の劇場です。

劇場の真横のカフェ・レストランには、舞台から下りて、メーキャップを落としたばかりの俳優さんが夜食をとりにきます。何度か国際的に有名なスターの隣に居合わせたこともありました。

横浜の新興住宅地のマンションの一角で、近所のレンタルビデオ屋さんで借りてきたフランス映画に出ていた俳優さんと、パリのモンマルトルの劇場前のカフェで遭遇という、私の夢が叶った思い出の場所です。

狭いパリの町を歩いていると、セレブに遭遇する機会も多いのですが（実際私の動画撮影中にカトリーヌ・ドヌーヴに遭遇したように）、皆さんあまり気づかないようです（笑）。大スターでも自然体で町を歩いていたり、バスやメトロに乗っているからなのでしょう。私は映画スターには目ざといので100メートル先からでも分かりますが。

シャルル・デュラン広場にお話を戻しますが、この広場は私が憧れのパリの、憧れのモンマルトルの一部になることができたという自己満足のシンボル的な場所なので、特別な思い入れがあり、春夏秋冬、24時間、いつ来てもマジカル・モーメントな広場です。

広場のカフェで一息つくも良し、「美味しいパン屋さん激戦区」（あのシンヤ・パン・モンマルトルもすぐ近所）なので、パン屋さんをはしごしてベンチに座って食べ比べるも良し（大量のパンになるので少々怪しいですが）、暑い夏は木陰で読書したり……。

でもやっぱり、夜の町を徘徊するのが好きな私としては、日が沈んで街灯やカフェや劇場のホールの灯りがついた時間こそ一番のマジカル・モーメントです。

劇場やカフェの灯りが灯っているということは、そこにたくさんの人たちがワイワイ飲みながらおしゃべりしたり、テレビの前ではなく、大勢の人たちと一緒に、生でパフォーマンスをする役者さんのお芝居をみているということです。それは、コロナ禍のロックダウンで消えた灯りでした。「皆が一緒に生きていること」が確認できる灯りだから、ほっとするのだと思います。

当たり前のことが消えた時、それがマジカル・モーメントだったことに気がつきました。夜のシャルル・デュラン広場には、そんな夜のぬくもりを感じます。

モンマルトルはどこか浅草を思わせる賑やかな下町です。パリの浅草寺サクレ・クールの方の喧噪と、愛想の悪い泥棒カフェは避けて、一本裏道に入れば、こんなパリジャンたちの憩いの広場があります。ぜひモンマルトル散策の際にお立ち寄りください。

7. 知的な香り漂う「カルティエ・ラタンの名画座」

「パリの朝・昼・夜、どの時間が一番好きですか?」という質問は、「映画か、絵画か、音楽のどれかを選びなさい」と言われるのと同じほどには難しいと私は思いません。

なぜかというと、日中は働く時間です。「フランス人は働くために生きるのではなく、生きるために働く人たち」ですから（仕事をしないわけではなく、仕事の仕方が違うだけなのですが）、仕事をしていない時間帯の方が、町も人も生き生きとしていると思うからです。

私にとってパリは日常性よりも、非日常性が似合う町。大都会でありながら、非日常的な、幻想的な一場面に出くわすことができる特別な町だと思います。

なので、昼間の喧噪よりも、どうしても早朝や日が沈んだ後のパリの風景をお勧めしてしまうのですが、ドラキュラじゃあるまいし、昼間は何もするなとは申しません。

日中は美術館とショッピングであっという間に時間が過ぎてしまいますが、暮らすように長期滞在をされる方も、できれば短期でいらっしゃる方も、カフェでゆっくり時間を過ごすことをお勧めいたします。

そして、時間に余裕のある滞在が可能で美術館もお買い物も一通りすんだら、左岸に渡るのが正解です。私は子どもができて、お仕事を始めて、暇をもてあますこともさほどなくなりましたが、たまに「何の予定もなく、子どももいないお一人様時間」ができると、珍しく左岸に渡ります。左岸は右岸と時間の流れ方が違うからです。

中世にソルボンヌ大学が創立されてから、カルティエ・ラタン（ラテン語を話す界隈）は、ヨーロッパでも屈指の学問の中心地。

20世紀半ばには実存主義の哲学者サルトルとボーヴォワール、詩人ジャック・プレヴェール、サンジェルマン・デ・プレのミューズ、ジュリエット・グレコ、マルチ・アーティスト、ボリス・ヴィアン、といったそうそうたるメンバーがサンジェルマン・デ・プレのカフェに集い、あのマイルス・デイヴィスがフランスにジャズをもたらしたのもこちら。

おフランスが世界に誇るカッコよすぎるカップル、ゲンズブール&バーキンが居を構えたのもこちら。タバコと知的な臭いがプンプン漂う、サンジェルマン・デ・プレは文化の中心でした。

昔から「右岸でお金を使い、左岸で頭を使う」などと言われます。

パリの素敵ゾーンはどこもかしこも似たようなショッピング街になってしまいましたが、それでもソルボンヌ大学周辺のカルティエ・ラタンは、未だに変わらない「知のバリア」に守られているような特殊な界隈で、右岸の喧噪をまったく感じません。

私のお一人様時間満喫コースの定番は、カフェの人物ウォッチング、ルーヴルブラ歩き、そして左岸のカルティエ・ラタンにある名画座です。学生時代は、1日2~3本の名画をはしごしてみることもありました。

私が洋画の名作を貪るようにみ始めたきっかけは、中学生の時にイタリア映画の巨匠フェデリコ・フェリーニの『道』という作品に嗚咽して以来。映画は私にとって、『ドラえもん』のどこでもドアであり、タイムマシンでした。扉を開けたり、引き出しを開けるのと同じくらい簡単に、ビデオテープをデッキに入れれば、別世界に旅することができました。

「世界の名画100選」という名作映画の手引き本を買って、レンタルビデオ屋さんのあまり人がいないコーナー（カーテンで仕切られたコーナーではなく）にある名画を片っ端からみました。そんなわけでパリに住み始めた20代の頃、「本でしか読んだことがなく、決して日本の映画館ではみることができない幻の名画の数々が毎日どこかで上映されている！」と大興奮し、毎日名画座に通いました。しかも当時は学生ならタダ同然の値段でみることができたのです。おそらく西洋美術の愛好家が、フランスやイタリアの美術館を取りつかれたように巡るのと同じだと思います。

約200の美術館、400以上のスクリーンを誇るパリは、「人生、死ぬまで勉強、死ぬまで感動！」が目標の私にとって理想郷です。

長期滞在の方、映画好きの方は、フランスの映画監督たちも通い詰めたこれらの名画座で小旅行をされてみてはいかがでしょうか？

「パリで名画に感動する」。こんな粋なパリ時間の過ごし方もないと思います。

名画をみて異次元に旅行した後は、セーヌ河に向かって歩いてノートルダム寺院の後ろ姿を眺めながら、緑の箱が目印の古本屋さん＝bouquinistesに時々足を止めながら散歩するも良し、セーヌ河方面とは反対に、パリの守護聖人サント・ジュヌヴィエーヴの丘を上って、パリでも屈指の美しい教会サンテティエンヌ・デュ・モン教会（Saint Etienne du Mont）を覗くも良し、パンテオンの前を通って、『エミリー、パリへ行く』で一躍有名になった、映画のセットのように美しいエストラパッド広場（Place de l'Estrapade）で一息つくも良し、パンテオン前の坂道を下りてリュクサンブール公園に行き、公園のベンチやカフェで一息つくも良し……右岸とは違う落ち着いた雰囲気をゆっくり散策しながらお楽しみください。

私の場合は映画館を出るとだいたいお腹がすいているので、おやつかディナーを食べてからお散歩します。ちょうど私がこの界隈に通い始めた頃にできたエコール通りのアメリカン・ダイナーBreakfast in Americaで、映画の中でみたようなマグカップに注がれたアメリカン・コーヒーを飲みながら、おやつにパンケーキを食べたり、食事の時間ならハンバーガーを食べたりするのが儀式のようになっていました。

このお店はパリの本格アメリカン・ダイナー・ブームの火付け役で、マレ地区にも店舗があります。「パリは大好きだけどホームシック」な在パリアメリカ人の方々と店員さんの間で交わされる会話を盗み聞きするのも大好きです。

お父ちゃんとの最初の頃のデートではGrand Actionで映画をみた後、ここでハンバーガーを食べ、楽しみにとっておいた最後の1本のフライドポテトを横取りされたことは一生忘れません。

パリほど映画的な町はない

ちなみに、私のフランス愛は、実はアメリカ映画によって育まれました。

もちろん、トリュフォーやゴダールといったヌーヴェルバーグも片っ端からみましたし、大学時代はフランスかぶれで、よく渋谷のBunkamuraにフランス映画をみに通ったものです。フランス映画独特の「しっくりこない終わり方」や、リアリティ溢れるパリの風景に心酔して、映画の中でよく登場するカフェオレ・ボウルをパリジェンヌを意識した雑貨屋さんで買って、母親に「どんぶり」と言われながらも、毎朝カフェオレを飲みパリジェンヌ気分に浸ったりしたものです。

でも、一番パリへの妄想旅行を楽しませてくれたのは、同じように外国人としてこの光の都に憧れたアメリカ人監督たちの作品でした。

彼らが作り出す世界では、パリという町が大事な主人公のような存在で、同じストーリーを他の町に置き換えることは不可能なものが多いように思います。

パリジェンヌに憧れる日本人やアメリカ人の女性たちの方が、実は本物のパリジェンヌよりもパリジェンヌっぽい服装をしているように、本物のパリよりパリっぽさを巧妙に作り出した名作の数々が大好きです。

『ニューヨーク・タイムズ』紙のハリウッドのパリ愛を題にした記事（２０１０年８月13日付）には「映画の中ほどパリがパリらしくみえることはない」と書かれていましたが、私もたくさんのハリウッド映画の中のパリを見ながらパリを夢みていました。

なかでもパリが最も似合う往年のハリウッド女優オードリー・ヘップバーン主演の作品は、すべて細部まで記憶するほど何度も何度も夢み心地でみたものです。

『麗しのサブリナ』『パリの恋人』『昼下りの情事』『シャレード』『パリで一緒に』『おしゃれ泥棒』の中の、洗練されたオードリーの立ち振る舞いや、彼女の親友でもあったユベール・ド・ジヴァンシーがデザインした衣装の数々は、横浜の味気ない新興住宅地のマンションの一角に住むサラリーマンの娘にとって、永遠に手に入れることができないであろうエレガンス、美の教本でした。

窓の外をみれば、コンビニやファミレスのギラギラしたネオンの照明、電信柱と電線……。小さくてもビデオプレーヤー付きのテレビ画面にうつる、美しいテクニカラーのパリをみて現実逃避をしながら受験勉強に励んでいました。映画での妄想旅行こそが、みかけよりネクラな私に生きる希望を与えてくれたものです。

往年のハリウッド映画が作り出したロマンチックなパリを現代に蘇らせたパリ好きアメリカ人監督といえば、冒頭でもお話ししたウッディ・アレンです。彼の『世界中がアイ・ラヴ・ユー』や『ミッドナイト・イン・パリ』が大ヒットしたのは、パリが主役のロマンチック・コメディを世界中の人々が待ち望んでいたからだと思います。

最近では、Netflixのパリを舞台にしたラブコメ・ドラマ『エミリー、パリへ行く』が大ヒット中です。パリの町や、フランス人に対して外国人が抱くイメージ（横柄、働かない、既婚者には愛人がいる、等々）を大袈裟に演出したアメリカ目線のドラマで、現実を歪曲している部分が多くあるものの、「妄想のパリ暮らし」ができることから絶大な人気を博しているのでしょう。

というわけで、映画の創成期から現在にいたるまで、パリを舞台にした作品は枚挙にいとまがありません（パリが舞台のアメリカ映画は約800本！）が、私の最愛の一本は、映画史の中で最も敬愛する監督ビリー・ワイルダーの『あなただけ今晩は』という日本では割とマイナーな作品なのですが、これほど私の心に沁みた作品はございません。

原作はフランスの作家によるミュージカルなのですが、1963年にシャーリー・マクレーンとジャック・レモンという名優二人の共演で映画化されました。今はなき、「パリの胃袋」と呼ばれた中央市場レ・アールの裏道で繰り広げられる、娼婦と警官のラブ・コメディ、当時の下町で繰り広げられる人情劇なのですが、パリという町をこれほど愛おしく感じさせてくれる作品は他にありません。

一見「作られたパリを舞台にしたおとぎ話」ですが、おとぎ話には必ず現実の要素が凝縮されています。この作品で描かれる人物やパリの町に感じられるぬくもりは、私が実際にこの町で感じとってきたものと、まったく同じものです。

「事実は小説より奇なり」と言いますが、パリは作り話のようなドラマが現実に目の前で繰り広げられる不思議な町です。映画のセットのような町に暮らしていると、そこに住む人たちも役者のようになっていくのか、はたまたパリを舞台にした映画を見すぎて、知らず知らずのうちに影響されているのか。それとも、もともと感情をさらけ出す国民性なので、彼らにとって普通でも、私たちからみるとお芝居に見えるのか。いや、映画を見すぎてパリに移住してしまった私の目が、現実世界の中に映画を見ようとしているのか。

普通にカフェのテラスに座って、通りや広場を眺めているだけで、目の前で事件が発生することもしばしばございます。

「大喧嘩しながら前を通ったカップルが、数分後に熱烈なキスを交わしながら戻ってきた」なんて場面は何度遭遇したか分かりません。

ふらっと入った教会が美しすぎて感動していたら、突然聖歌隊のリハーサルが始まったり、夜のルーヴル美術館を見学中、混んでいたはずの展示室から突然人が消え、ミイラと二人きりになって震え上がったことも。いつどこで、どんな奇跡的な映画のワンシーンのようなことが起きるか分からない町なのです。「映画の中ほどパリがパリらしく見えることはない」そして「パリほど映画的な町はない」と思います。

「私の好きなパリ」「私のパリの楽しみ方」というテーマで私のパリ愛を綴ってみようと試みてみたものの、「あれも、これも」と欲張ってどんどん話が飛んでしまいました。

あくまで私の個人的な感性をもとにお話をしてきましたので、私がどんなに「マジカル・モーメントなんです〜!!」「歴史が面白いんです〜!!」と興奮したところで、同じ時間に同じ場所に立って、同じ知識を持って、同じ情景を見たところで「ふーん」と思われる方がいらっしゃって当然です（笑）。カフェに座って人物ウォッチングをしても「フランス語分からないし」と言われるかもしれません。

それでもダマされたと思って、パリの町並みやパリに生きる人たちを観察していただきたいのです。パリの広場はただの広場ではございません。橋は向こう岸へ渡るだけのものではございません。「ローマは一日にしてならず」、パリもまた然りです。世界一美しい町と呼ばれる理由を、ご自分の目で、ご自分の感性で、確かめにいらしてください。

心と目をオープンにして、足を止めることをためらわず歩いてみれば、街の一角に、ご自身の感性や予備知識、何かの琴線にふれて「ピンとくる」マジカル・モーメントが、必ず訪れるはずです。

章

それでも愛してやまないおフランス

パリの光と影。
アジア人差別とデモ&スト

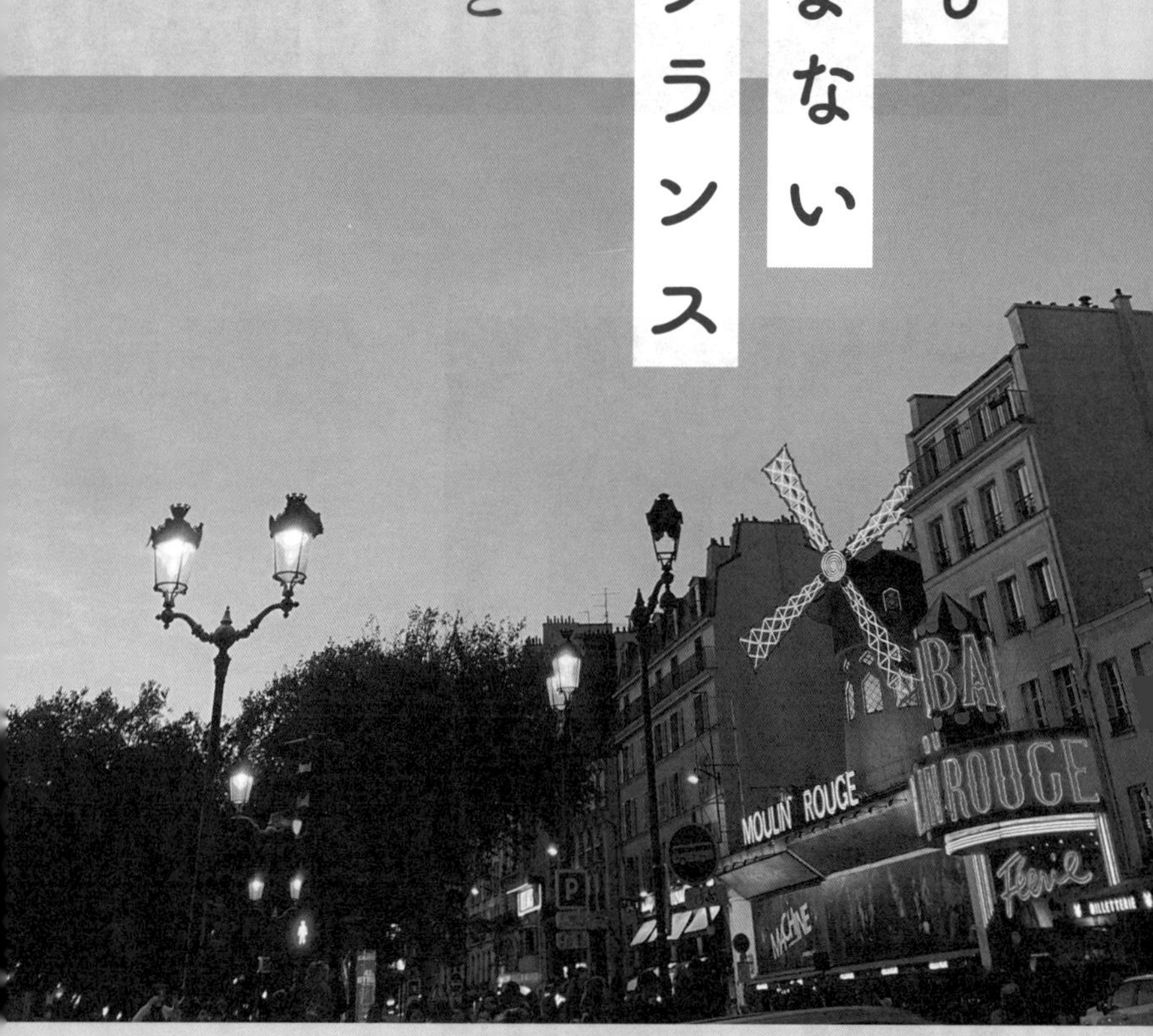

活気が戻ったムーラン・ルージュの夕焼け。

1

2

1. 2019年ストライキ真っ只中のメトロ。2. 日本のメロンパンがパリで大人気。

アジア人差別

フランスに移住してみて、初めて体験したこと、発見したことの中に「人種差別」があります。日本という、ほぼ単一民族の島国に、日本人として生まれて日本人として育ってきた私は、もちろん差別行為や発言の対象となったことはありませんでした。

幼少の頃、父の仕事の関係で旧西ドイツに住んでいましたが、そこはほぼ日本というくらいヨーロッパ最大の駐在日本人の町だったので、差別をされた記憶はありません。「人種差別は自分には関係のない世界の話」だと思い込んでいました。

それが、フランスにやってきて、自分が「有色人種」の一人で、白人でない以上、必ず差別を受ける運命にあることを実感しました。「『自由・平等・博愛』は、フランス人に限られるの？　そこによそ者は含まれないのね？　せっかく尊敬して憧れて来たのに、現実はちゃうやんけ！」と失望もしたものです。

さて、具体的にどのような差別があるのかというと……。一番のあるあるは「アジア人はみんな中国人」。日本で白人とすれ違えば、ついアメリカ人だと思うのと同じで、フランスではアジア人は皆中国人に分類されます。街中でよく「ニーハオ」と声をかけられます。「これを差別とみなすか?」ですが、私は明らかに差別だと思います。少なくとも「差別をされた」と私は感じます。中国人に間違えられるということが問題なのではなく、アジア人種を侮辱するように声をかけられるということが差別だと感じます。

フランスという国にいる限り、挨拶をするのなら「ボンジュール」です。中には悪気がない人もいますが、だいたい「ニーハオ」と声をかけてくるのは頭の悪そうな若い衆で、からかったような、小馬鹿にしたような態度で声をかけてきます。

「ここにもchinetoqueシントック(中国人を侮辱する言葉)がいたぜ!」とか、中国語のマネをして「チンチョンチャン」などと言ってきます。これは明らかにカリカチュールといって、侮辱するようにモノマネをする人種差別行為です。アフリカ系の人々に猿の鳴きマネをするのと同じです。

一度、友人とカフェで待ち合わせをしていた時のこと。ディナーの約束でしたが、遅れて到着した彼女が、とても気分の悪そうな顔をしていたので、どうしたのかと尋ねると、「今、『中国人』とからかうような変なモノマネされた……」としょんぼりしながら答えました。「誰にされたの?」と聞くと、なんとそのカフェの店員だと言うではないですか! カッと頭に血が急上昇するのを感じ、急いで席を立ち、カフェのカウンターで叫びました。

「アンタたちの中で、私の友達に人種差別的なカリカチュールをした卑怯者がいる! 誰だ?」と問い詰めると、バーテンダーはきょとんとしながら「なんのこと?」という態度。

するると、友人が「あの人」と指を差したのはカフェの奥にいた責任者でした。「フランスで人種差別的なカリカチュールは、違法行為なのを知らないの?!」と他のお客がいる前で構わず大声で言ってやりました。その男は「冗談が分からないのか? 残念だね」と、若干オドオドしながら答えました。

こういう差別的なジョークで笑いをとろうとする愚か者はたくさんいます。悪気なく、「軽い冗談」ですませようとします。人種のギャグは当事者が言うなら笑えますが、他の人種の人が言ったら差別になるということが分からない、空気が読めない愚か者もいるのです。

この時は「たかが悪質な冗談だから気にしない」というわけにはいきませんでした。道端で通りすがりにされる時には、なるべく無視をしますが、カフェの責任者が客に向かって悪質なハラスメントをするなんて、みてみぬふりはできません。その愚かな責任者には「若いアジア人の女の子をみて、何も言い返せないと思って小馬鹿にするなんて、ちっぽけな男だ! 恥に思え! 警察に訴えてやる!」と言ってカフェを出ました。するとその場に居合わせた男性客が「よくぞ言ったね! まったく君の言う通りだ。あーいう愚か者は許せない。でもフランス人が皆あいつみたいだと思わないでほしい」と、怒りに鼻の穴が広がったままの私を励ましに来てくれました。

パリに住んで22年、何度も似たような体験をして、そのたびに私と痛みを分かち合ってくれる、見ず知らずのフランス人や、友人たちに助けられてきました。嫌な体験をするたびに、その不快な気持ちを忘れさせてくれるほどのサポートがあったからこそ、私はこの国に住みたいと思えるのです。「一緒に人種差別と戦ってくれるフランス人がいる」と感じるからです。

人種差別というのは本当に難しい問題です。正直、フランスに来る前は「なんで肌の色で差別するんだろう？　愚か者の卑怯な行為だ」と思っていましたし、今でもそれは変わらないのですが、思っていたよりもずっと複雑だと感じました。

ある日バス停で「ニーハオ」と明らかにアラブ系のオジサンに言われたので、「シャローム」と彼らの天敵とされるユダヤ人の言葉で返してみました。すると、「俺がユダヤ人だと思ったのか？」「だって、あなたたち、見かけが一緒でしょ？」「まったく違うぜ」「アタシから見たら同じよ！　ちなみにニーハオって、アタシの国の言葉じゃないから」「小さいことでうるさいな。お前らみんな細目で同じじゃないか！　細目はみんな中国人だろ」「そう言うなら、髪が黒くて、髭が生えてる中近東の人はみんなユダヤ人でしょ……」「何も分かってないな」「お互い様じゃない？」「そもそもアジア人は何も言わずに、黙々とまじめに働いて、移民2世や3世は優等生ぶってやがる。白人におべっか使っているのさ」「じゃあアンタたちも見習って働けばいいじゃん！」と返しそうになりましたが、バスが来たのと、これ以上言ってビンタでもされたら嫌だなと思ったので、「もうシーラナイ」というジェスチャーをしてバスに乗りました。

このオジサンの言うようにアジア人、つまり中国人は「ズル賢くて、何を考えているか分からない」

と中華街が襲撃されたり、中国系移民の人たちが襲われる事件が発生したり、コロナが蔓延して「アジア人ヘイト」のメッセージが拡散されたこともありました。

それに対して、また今度は「主犯とされるアラブ人叩き」が始まる。「アラブ人は皆テロリスト」とみなす。「アラブ系もアフリカ系もみんな泥棒で強盗」「ユダヤ人はすべての富を独り占め」「白人はみんな差別をするし、裕福だ」。なんだか色違いの尻尾のついた動物たちが尻尾を噛み合って一つの輪になってクルクル回っているような、終わりのないヘイトの輪。

実は「人種差別」と言いますが、実際には「肌の色」ではなく、宗教や文化、習慣など「自分と違う他者を受け入れること」ができない、「他者を理解しようとする想像力」の欠乏であること、そしてそこに貧富の差など、「違い」だけでなく「格差」が生じると「憎しみ」が湧き出てくるのだと感じました。

陸続きで「よそ者」がひしめき合うヨーロッパは、「どうやって共存していくか？」の葛藤の歴史です。「自由な国おフランス」「何でもありな国、おフランス」は、しばしば外国から怠け者扱いをされたり、無法地帯のような扱いを受けることがありますが、私はまったく逆だと思っています。

一方で「個人の自由を尊重する」という価値をかたくなに守り標榜しながら、文化、宗教、習慣もバラエティ豊かな人々が平和に共存できる社会を目指すということは、生半可なことではありません。

無駄なあがきのようにみえても、私は崇高な理想に向かってあがく、もがく生き方が好きです。安易な排他的スローガンを論破しようと、決して屈するまいとする人権宣言の国おフランスの精神を、フランス語を理解し、フランス人を観察しながら確かめることができ、私は心の底から彼らや、そこに住む自分を誇りに思うようになりました。

そして、自分が被害者になる、痛い目に遭うということのメリットもあります。人種差別に限らず、痛い目に遭えば、同じ痛みを経験した人たちを理解することができます。差別を受けてきた人たちと、同じ悲しみや憤りを分かち合うことができるようになったことは、有色人種の一人としてのプライドとなりました。

フランスだけでなく、海外に在住経験がある日本人なら同じ体験をしたことがあると思うのですが、日本国内ではなにかとライバル視しがちな韓国や中国の方たちとも、いったん西欧社会に身を置けば「お米が主食の平たい顔族」の仲間意識が生まれます（笑）。

そして自分が差別をされても、差別をしてきた相手は「何かに苦しんでいるんだ」と思うようになりました。だからってそれを許すわけではないですし、卑怯な行為であることを訴える時は訴えます。が、人を攻撃する人は不幸せな人、自分に満足できない人、他人に怯える臆病者でキャンキャン鳴きわめく小犬と同じ。自分は悠々としたゴールデンレトリバーでいようと思うようになりました（笑）。頭に血がのぼるシチュエーションにはこと欠かないジャングルな町パリですが、年々心拍数が正常に戻る時間は早くなっていっています。

人種差別に限らず、「そんなことってあり得る?!」というハプニングも場数を踏むと、細かいことが気にならなくなってきますし、その分人にアドバイスをしたり、誰かの役に立つことができます。これは荒波に自ら飛び込んでいった最大の成果です(笑)。

病気をすればするほど抗体ができて強くなるのと同じです。おフランスで人種差別にも遭い、荒波にもまれ、溺(おぼ)れまいとあがき生き延びてきたことで芽生えた「世界市民としての自信」は私の貴重な財産です。

ですから私はどんなに難しくても、多民族・多文化の共存を目指すフランスという国で、一人の移民として、半分ヴァイキング、半分サムライの娘を育てたいと思います。イギリス出身で、今でもザ・ブリティッシュ訛りのフランス語がチャーミングなジェーン・バーキンさんが、あるテレビのインタビューでおっしゃっていた言葉に共感しました。「フランスの地に足を踏み入れた瞬間に、自由を肌で感じたの……。私はフランスに温かく受け入れられた。私の訛りや、意見を面白い、魅力的だと言ってね。私と娘のケイトはフランス人ではないけれど、『フランスに命を捧げられる』ってお互いに言ってたの。すべての移民が同じように受け入れられれば、物事が変わっていくんじゃないかしら?」

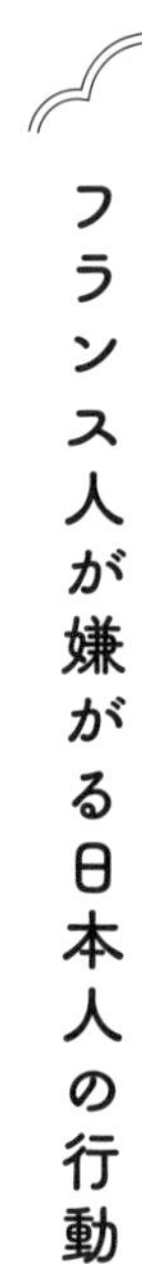

フランス人が嫌がる日本人の行動

一方で、フランス人が生理的に嫌がる行動というものがあります。知識として知っておくと良いかもしれません。

日本の旅行者の皆様は、世界一お行儀が良いので、フランス人は「日本の皆様はbienvenue（大歓迎）だ！」と声を揃えて言うのですが、これだけ文化も習慣も違う国ですから、まったく「クレーム」がないわけではありません。日本人がフランスを訪れる際に、マナーとして気をつけたいこと、ホストであるフランス人たちに不快な思いをさせないために注意したい2点についてお話しします。

① 声の大きさ

これは日本人に限ったことではありませんが、公共の場での声のボリュームは気をつけたい点の一つです。フランス人の声のボリュームは間接照明です。ボソボソッと「セ・ボ〜ン」としゃべります。声を上げる時は怒って相手を威嚇するためなので（日常的な光景）、公共の場で大きい声を出すと、皆さん、何事かと振り返ります。ラテン系の国民だし、大声で話していそうなイメージもありますが、大声で話すのはお行儀が悪いとされ、不快に思われます。美術館やモニュメントでも、日本人に限らず「シーッ！」っと、フランス人に怒られる旅行者をよく目撃します。フランス人は大人数でワイワイガヤガヤ楽しみたい時は、カフェやブラッスリーでも賑やかなお店を選びますし、レストランでは貸切のお部屋を予約します。もしくはホームパーティで気兼ねなく騒ぐという感じです。

声の出し方は、国によって違うように思います。日本では「いらっしゃいませ〜!!」と非常に元気な店員さんの声で迎えられますが、フランスでは低めの「ボンジューール」です。アメリカに行った時も「ハウユードゥーイング!!」と元気いっぱいでした。音階も日本やアメリカは高めで、ネオン照明という感じですが、フランスでは先述のように間接照明です。人気ドラマ『エミリー、パリへ行く』でもフランス人の同僚に向かってハツラツと自己紹介をした後、同僚のリュックが「なんで叫んでるんだ？」と聞く場面がありましたが、これはあるあるだと思いました。「郷に入っては郷に従え」です。公共の場で、許容範囲のdB（デシベル）を超えると、すかさず視線を感じますので、目が合ったら「テヘヘ」と笑って、フランス人風に「セ・ボ〜ン」とボソボソ話してみてください。

② 鼻水「ジュルジュル」

2点目は、最もフランス人が不快だと思う日本人のあるクセ。これが最も多い「クレーム」です。それは「鼻水ジュルジュル」です。フランスと日本での「何を汚いと思うか」という感性の違いなのですが、日本人は「ブーン!!」と大きな音を立てながら公共の場で洟(はな)をかむことを恥ずかしいと思い、フランス人は洟をかまずに溜め込んだ鼻詰まりのジュルジュルの音を不快に感じます。

おフランスでは、コロナがやってくる前までは使い捨てのティッシュではなくハンカチ（mouchoir）に「ブイーン」と音を立てながら洟をかみ、それをまたポケットに入れて、次もそのハンカチを出して、反対に折ったりしながら乾いた箇所を探してまた「ブイーン」でした。コロナ以前も、冬のインフルエンザの季節がやってくると、政府の「インフルエンザ感染防止キャンペーン」のスポットが流れていました。「使い捨てのハンカチ（とフランス語では言いますがティッシュのこと）で洟をかんだら、その都度ゴミ箱に捨てましょう」と使ったティッシュの周りにウイルスのアニメーションを付けて啓蒙活動をしていました。

コロナでだいぶフランス人もウイルスやバイ菌が我々日本人のように「みえるように」なってきたことには、少しホッとしています。収束したらまた元に戻るかもしれませんが……。

そしておフランスのティッシュは、フランス人が「ブイーン」と洟をかんでもボロボロにならないように作られており、非常に分厚くて頼もしいのです。日本のティッシュの5倍の厚さがあると思います。赤ちゃんのお尻拭きも、日本のものは透き通るくらい薄いですが、おフランスのものはトイレお掃除シートくらい厚いです。日本のママ友たちにお土産にして喜ばれました（笑）。ティッシュは、珍しく私が「ジャパン・クオリティ」よりも「おフランス製」を好む日常生活用品の一つです。「郷に入っては郷に従え」。おフランスでは、おフランス製のティッシュで「ブーン！」と勢いよく洟をかんでスッキリしましょう。

日本人コンプレックス

実はこちらに移住するまでは、なぜか自分がフランス人になれるような、というか自分がフランス人のような気がしていました。「どこからどうみても平たい顔族が何を?!」と言われそうですが、あまりにも洋画をみすぎて、その世界に入り込みすぎて、どこか自分が西洋人になったような錯覚をしていたのです。

オムツや生理用品のCMを見て、体から青い液体が出てくると思い込んでいるのと同じくらい激しい思い込みですが、鏡をみるたびに「あ、違った！」と現実に引き戻され、コンプレックスを抱いたままオドオドしながら渡仏しました。

白人という人種に生まれない限り、白人至上主義の世界で、白人の容姿に憧れない人がいるでしょうか?　フワッと緩やかにカールした茶色の髪、白く透き通るような肌、大きなクリクリの目、長いまつ毛、長くてすらっとした脚……。

私たち日本人の自然の姿からは遠く（少なくとも私の世代ではまだ珍しかったです）、みんな一生懸命に白人女性のような容姿を目指します。容姿のコンプレックスに加え、言葉ができないというハンディキャップがあるので、パリ生活を始めたばかりの頃は、ビクビクしながら生きていたものでした。私がお酒に弱いという真実と同じくらい信じられないかもしれませんが、本当の話です。

パン屋さんで間違えるのが嫌で、女性・男性名詞の区別をしなくて良いように、二つ以上注文していたこともありました（1 (une) baguetteでun baguetteではない。1 (un) croissant でune croissant ではない。2 (deux) baguettesや、2croissantsなら変化なし)。

間違いを犯すと「あれ？　違った？　きゃー恥ずかしい！」という反応はどこの国でも若いお嬢さんなら同じだと思うのですが、私たち日本人は完璧主義な部分があるので、なおさら間違いを恐れます。海外で語学学校に通った経験がある方は、必ず体験されていらっしゃると思うのですが、イタリア、スペイン、ドイツ、スウェーデン、アメリカ、ブラジル……とにかくいろいろな国籍の生徒が集まる中で、一番手を挙げて発言しないのが日本人です。他の国の生徒さんたちは、文法や発音がめちゃめちゃでも「はいはいはいはい！」と挙手します。

ところが筆記テストでは日本人が一番優秀、というパターンは語学学校のあるあるです。「失敗を恐れない」「自分というものをしっかり持っている」、少なくともそうみえる諸外国の生徒さんたちや、フランス人の自信満々でどんな話題にも「自分の意見がある」彼らのそんな態度にも、容姿と同じくらい、もしくはそれ以上に劣等感を抱いていました。

「自分がない」「自分を主張できない」「モジモジしかできない」自分が恥ずかしく、コンプレックスでした。まず、表面的な劣等感を克服というか軽減させてくれたのは（脚が10センチ伸びてくれて、頭の直径が10センチ縮小しない限り、一生完全には消えないと思いますが）フランス人女性たちのおかげです。フランス人女性は皆さんがモデルのように完璧なスタイルで、お洒落なわけではございません!! 脚が短くて、お腹がぽっちゃり、二の腕もぷよぷよでも、夏はタンクトップだし、ビーチではビキニです。おフランスのビーチではビキニが主流で、お腹が何段重ねになっていようと、気にしません。街中でも大きなお尻を振りながら、自信満々に歩いています。

「歩き方」こそパリジェンヌと日本人女性の一番の違いだと思います。

別に日本女性の歩き方が悪いというわけではなく、「言った者勝ちの国」では「思い込んだ者勝ち」でもあって、「アタシは魅力的ですけど、何か?」という態度の人は不思議と魅力的に見えるものです。実は、けっこうそれをよく理解した日本人女性もいらっしゃいます。「私は大和撫子の魅力に溢れていますけど、何か?」とツヤツヤの黒髪を風になびかせると、本当に日本女性マニアがワンサカ寄ってくるのです（笑）。

申し訳ないけれど、何を言っているのか分からないような訛りの強いフランス語でも「私、フランス語ペラペラですけど、何か?」と自信満々の日本人の元には、もっと実力がある人よりも、通訳のお仕事のオファーがワンサカ来たりするのです。何事に関しても「謙虚でいると損をする国、おフランス」だと常々感じております。

ダイヴァーシティが常識の国。いろいろな人種の、いろいろな体型の人がいます。別にモテることで人間性が肯定されるわけではないですけれども、おフランスではポッチャリでもモテます（笑）。さすが1000種類のチーズの国！「好みは人それぞれ違うのさ」ということです。

フランス人の日本愛

フランスに移住して驚いたことの一つがフランス人の日本愛です。こちらに来る前は「誰にも相手にされない極東の小さな島国」と勝手にコンプレックスを抱いていました。ところが実際には私が「日本人」と知ると、皆さん「日本は一番行きたい国」「一番憧れている国」と突然テンションが高くなるのです。

特に私と同世代のフランス人は、日本のアニメをみて育ってきたので、日本に対して特別な親近感を抱く人が非常に多いということを知りました。海外在住の日本人は、宮崎駿さんや鳥山明さん、もう少し最近ですが尾田栄一郎さんらを守り神と思って崇めなければいけません。もちろん、モード界の高田賢三さんのような神様も忘れてはいけません。世界で認められる日本の文化人の皆様の恩恵をどれだけ受けていることかと実感します。

テレビやラジオをつけても、「ジャポン」という音が毎日のように耳に入ってきます。「近未来国家ジャポン」の最新のテクノロジー、伝統芸能、ポップ・カルチャー、アニメ・漫画などなど、すべてのジャンルにおいて、「ジャポン＝日本」は一種のブランドとなっています。「おフランス」のものは何でもお洒落で洗練されているというイメージは、世界中に伝播していますが、「ジャポン」もまた同じような地位を獲得しています。

ユニクロが「ジャパン・テクノロジー」と謳っているように、「ジャポンといえばハイ・クオリティ」「何歩も先を行く未来国家」「理想郷」だと信じて疑わない人もいます。

この20年の間に、日本的な文化がどんどんパリの日常生活に浸透してきました。特に顕著なのが、日本食です。フランス人の食事がどんどんヘルシー志向になっていったのは、一番の大きな変化かもしれません。

別章でもお話ししていますが、オーガニックのスーパーに行けば、醤油や味噌はもちろん、豆腐やそうめん、うどん、にがり、昆布やわかめなども簡単に手に入るようになったのは、私たちにとっては大変ありがたいことです。

生活習慣や食文化など「日本サイコー」「日本をみ習え」という日本フィーバーは、一昔前よりもだいぶ生活しやすい環境になったなと感じます。「日本人であることのコンプレックス」どころか「日本人であることがカッコいい」までのレベルに達してきました（笑）。

「ジャパン・エキスポ」という日本の漫画・アニメ好きの人たちが集まるイベントに、住み始めたばかりの頃に行きましたが、当時はまだまだ小規模な会場で開催されていました。ちょっとしたマニアの集まりという感じでしたが、今となってはビジター数25万人という大イベントに発展しています。

シャルル・ド＝ゴール空港の傍の巨大なイベント会場に向かう高速地下鉄ＲＥＲのＢ線は、コスプレをしたフランスの若者たちで溢れ返ります。

余談なのですが、アニメ好きの皆さんて、人種を超えて、雰囲気が同じなので「あーやっぱり人類皆兄弟だなあ」とつくづく感じます。最近は、世界中で、パリでもＫ－ＰＯＰがブームですし、韓国のドラマや食文化が広まっています。おフランスにアジア旋風が巻き起こっているのです。私の周りにも「日本語を習いたい」という若者がワンサカおります。週末ともなれば、パリのオペラ座界隈の日本人街のラーメン屋さんやパン屋さん、日本食材店は大行列！　有名シェフたちは、こぞって和食の文化を取り入れていて、お洒落なお店のお料理には必ずと言って良いほど「yuzu＝柚子」が使われています。最近お店や商品の名前に、日本語をチラホラみかけるようになりました。健康志向のオーガニック・ベビーフード「Yooji」というパッケージをみて「あ、幼児ね!!」と気がつくのに10秒くらいかかりましたが……。

パリではどこのスーパーでも「楽　TANOSHI」というメーカーの、どう見てもうどんにしかみえない「RAMEN」や「寿司キット」が売られていますし、大人気の「Gyoza」を冷凍コーナーでみかけるようになりました。

デモ＆ストライキが日常茶飯事

「日本では絶対にあり得ない」と自信を持って言えることもあります。その一つが有名な「ストライキ」です。フランスの国民的スポーツはサッカーでもラグビーでもなく「grève＝ストライキ」と「manifestation＝デモ行進」です。「個人の幸福の追求のためなら、社会全体を巻き込むこともいとわない」おフランス。フランス人の友人たちに「フランス生活について本を書いている」と言うと、「もちろんストライキの話はするんでしょう？」と言われました。「ストライキ（以下スト）を語らずしておフランスを語ることなかれ！」なのです。

2019年の12月に1か月間、公共交通機関が完全に麻痺したというニュースは記憶に新しいですが、私が普段利用しているメトロは、1か月間完全に運行停止していました。ガイドとしてデビューして以来、最も多忙な日々を送っていた私は、毎日徒歩、キックボード、自転車など、ありとあらゆる手段を使って毎日変わる出勤先に向かったものです。パリの反対側で仕事を終え、翌朝も早朝にパリを横断しなければならず、2回ほど自腹でホテルにも泊まりました。

公共交通機関だけではなく、学校も定期的にストライキのために閉鎖されます。共働き家庭が多いおフランスでは、どちらかが仕事を休んだり、おじいちゃん&おばあちゃん、テレワークをするママ友のお家に預けたり。ストの予告が通知されると、解決策を探すのに必死です。そしてストは、仕事をストップすれば迷惑になる職業の人は誰もが行います。

2001年の9月11日、世界が一瞬にして変わってしまったあのニューヨークのテロの日、私は急性虫垂炎から腹膜炎を起こし、緊急病棟に運ばれましたが外科医のストライキのため手術が真夜中まで遅れ、一日中病院の廊下で放ったらかしにされました。

20年以上フランスで生活をしていると、「ストによる苦労話」で本が一冊書けてしまうくらいです。「それでもリョーコさんはストに賛成ですか?」と聞かれれば、もちろん「賛成」です。その時は「なんていい迷惑!」「勘弁して!」ともちろん思います。危うく死にそうにもなりましたから(笑)。

それでもストを支持せざるを得ない、目をつぶるしかないのは、今のフランスがあるのはこのストのおかげだと知っているからです。5週間のバカンスも、ほぼ無料の(質はどうであれ)医療・教育の制度も、コロナで失業しても3年間生き延びていることも、すべて今までストやデモを繰り返してきてフランス人たちが勝ち取ってきた権利だと知っているからです。多くのフランス人も「後々は自分たちの利益にもつながることだ」と言い聞かせ、一時の不便を耐え忍びます。

フランスは一般庶民でも、それなりに幸せに暮らせる国だと思います。「これだけ良い環境なのにまだ文句があるんかい?」とよく思うのですが、フランス人はちょっとでも不満があれば黙ってはいないのです。現状維持ではなく、常に改善を求める。悪く言えば貪欲なのです。幸せを貪欲に求める人たちだと思います。

自分もお父ちゃんもフリーランスですからストができる職業ではありませんが、ストができる人たちに「私たちはできないんだからするな! 我慢しろ!」なんて口が裂けても言えません(笑)。自分たちの生活・労働条件を向上させようとする人たちに、フランス人は文句を言いません。これは私が非常に驚いたことです。世論が支持するか否かは、何に対して抗議しているかによっても変わってきますが、「ストライキをする」という行為は「当然の権利」として認められています。

不満ばかり口にするイメージがあるフランス人ですが、夏の猛暑の最中のストで、冷房設備のない満員のサウナのような高速地下鉄に乗っていた私は暑さと汗の臭いで気を失いそうになっていました。「誰か大声で文句を言うかな?」と周りをみ渡すと、他の乗客たちは驚くほど平然としていました。隣で扇子をあおぎながらため息をついたお姉さんに「しんどいわね」と声をかけてみると、「C'est comme ça. =仕方ないわよ」と肩をすくませていました。「意外と辛抱強いのね」と感心したものです。

ストの日には必ずテレビの街頭インタビューがありますが、「今日は早めに出勤だ」「歩いてきたよ」「久々に自転車さ」と言う人々はいますが「なんて迷惑なんだ! 自分勝手だ!」と言う人はいません。

そう思っている人もいるのでしょうが、あえて口にはしない、または「諦めている」「文句を言っても仕方がない」という感じです。

もちろん1か月もストが続いて、それでもフランス人たちは黙々と耐え忍んで、鉄道員たちに声援を送り続けていたかというとそういうわけでもありません（笑）。そりゃあ1か月も大変な思いをすれば辟易（へきえき）して当然です。ただその「利用者だって大変なんだよねぇ」という声はストを行使する労働者に対する「クレーム」にはならないのです。

例えば市民たちの毎日の「galrère＝大変さ」を風刺漫画にしたり、一番印象に残っているのは、ちょうどクリスマスの季節だったこともあり、お馴染みのマライア・キャリーの『All I Want For Christmass Is You（クリスマスに欲しいものはアナタだけ）』を「クリスマスに欲しいものはメトロだけ」という替え歌がSNSで話題になり、「毎日の大変さを皆で分かち合って笑い飛ばして耐え抜こう！」と元気づけられたものでした。

そして、ストはいかに迷惑をかけるかが勝負ですので、大概バカンスに突入する前日などに決行します。これだけ利用者に対する嫌がらせのようなストでも、怒りの矛先はストをする公共交通機関の職員たちにではなく、政府や運輸大臣に向けられます。

最近のメトロや鉄道のストは、政府の「定年退職の改正案」に反対したものですが、2019年の地獄の1か月ストの際にも、66％がストを支持、75％以上が「政府が改正案を撤回すべき」と答えていました。

こういったストライキは労働組合の発起によるものですが、「protestation = 抗議をする」のは、政治的に左寄りだろうと、右寄りだろうと同じです。右も左も、老若男女「manifestation = デモ行進」をします。

娘は現在10歳ですが、すでに「不味い給食に抗議する」と言って、同級生たちとスローガンを作って遊んでいました（笑）。このストライキにともなうデモ行進でのウィットに富んだスローガンにも、おフランスのエスプリが感じられますし、「言葉の文化の国」であることを痛感させられます。印象に残るスローガンは、世論を変えるほどの力を持つのです。1968年5月、ド・ゴール政権の教育方針に反対して起きた学生運動からフランス全土のゼネストに発展した反体制運動の5月革命の「Il est interdire d'interdire. = 禁止することを禁止する」「Soyez réalistes, demandez l'impossible. = 現実的になれ！ 不可能を要求せよ！」といったスローガンは現在でも再利用されるほど有名です。

皆さんもご存じの1789年のフランス革命勃発直後、国民議会によって制定された有名な『人間および市民の権利宣言』通称『人権宣言』の11条には「思想および主義主張の自由な伝達は、人間の最も貴重な権利である」と明記されています。それは現在もフランス人のDNAに受け継がれています。

「manif = デモを知らずしておフランスを語ることなかれ」というわけで、私も何度かデモに参加したことがあります。私のデモ行進デビューはフランス移住直後の大統領選挙で、予想外に極右政党のリーダーが1回目の投票で選出された際の大規模な「アンチ極右デモ行進」でした。

しかし、最も印象に残っているデモは2015年に起きたイスラム過激派テロリストによる風刺新聞『シャーリー・エブド』紙の本社とユダヤ系の食料品店襲撃事件の直後、フランス全土で巻き起こった「言論の自由を守るためのデモ行進」です。2015年1月10日と11日に行われ、「共和国行進」と呼ばれる歴史に刻まれる大規模な行進でした。近代フランス史で最大の集会と言われ、あまりの人数に正確な数字は不明とされますが、1日で400万人以上の人々が参加したと言われます。

パリの共和国広場周辺はまさに人の海。身動きがとれないほどの群衆でした。そこには子どもからお年寄りまで、キリスト教徒もユダヤ教徒もイスラム教徒も、無宗教の私のような人間も、「言論の自由を守れ」「テロなんて怖くない」「Je suis Charlie.＝私はシャーリー」と書かれたボードを手に行進しました。自己主張の強い人たちが集まる、なんでもありなカオスの国フランスで、この時ほど一体感を覚えたことはありません。

トリコロールの旗を振り、声をからしながら言論の自由を訴える民衆の姿は、あの有名なドラクロワの名画『民衆を率いる自由の女神』そのものでした。

『民衆を率いる自由の女神』は1830年の七月革命を描いたものです。この革命は、1789年に始まったフランス革命でギロチン台の露となって消えたルイ16世の弟の一人、シャルル10世が復古王政の二人目の国王となり、絶対主義体制を蘇らせようと言論弾圧を試みたことに対してパリ市民の怒りが爆発し勃発しました。フランス人から決して取り上げることができないもの、彼らが命がけで守ろうとするもの、それは「言論の自由」「主張する権利」なのです。

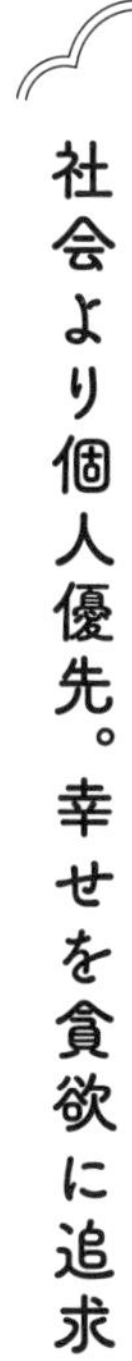

社会より個人優先。幸せを貪欲に追求

デモやストに寛容である背景には、フランスでは個人が幸福を追求するために社会全体に「迷惑」をかけることへの寛容性があるように思います。

先日ホームパーティで私がその点についてふれると、友人の一人が「メイワク（日本語で）をかければかけるほど良いんだ！　メイワ・ボクーだね！（beaucoup ボクー＝たくさん）」なんて茶化していましたが、フランスでは社会全体は「個人の集まり」なので、個人、マイノリティの主張に、社会全体が耳を傾けて当然だという意識があります。

逆に日本は、「社会全体の和」のために個人の主張を抑える傾向にあり、「他人に迷惑をかけること」は「最もしてはいけないこと」とされているように感じます。

フランスと日本の最も大きな違いの一つはそこではないかと思うのです。このことは、どちらが良いか悪いかではないのですが、その違いを把握するのはとても大事なことだと感じています。

「他者への気遣い」ができ、礼儀正しい日本人は、国際的にもとても評価されていることは外国に飛び出してみて初めて分かりました。

一方で、日本人は個人より社会を優先する傾向があることで、バランスにもよりますが、個人が生きにくい状況も往々にしてあるのではないでしょうか？

自分の幸せをないがしろには決してしないフランス流の生き方は、「何でもありのカオス」を生み出す一方で、個人が幸せに生きるヒントになるのではないかと思います。

8章
それでも愛してやまないおフランス

おわりに

「パリが好き！」「パリに住みたい！」という願望だけで大学を中途退学して日本を飛び出して以来、何もかも行き当たりばったりの崖っぷち人生でした。
これまでに出会った人情深く寛大な人々のサポートがなければ今頃は路頭に迷っていたに違いありません。

いつもYouTubeの動画をご視聴くださり、温かいコメントで応援してくださるお会いしたことのないフォロワーの皆様、
いつも腕まくりをして助けてくれるフランス人の友人たち、
動画の撮影に快く参加してくれるだけでなく
いつでも私の不安や疑問に耳を傾けて支えてくれるパリ在住の日本人の友人たち、
朝から晩まで、騒々しい私に耐えてくれる家族、

向こうみずな娘を地球の反対側からみ守ってくれる両親、
そしてYouTubeから私に目をつけてくださったKADOKAWAの皆様のおかげで、
ようやく23年越しの卒業論文を書くことができた気持ちです。
心の底から「Merci beaucoup！　Je vous aime!」(どうもありがとう！　愛しています)

Ryoko Paris Guide

1. 岡魔先生＆ニコちゃんのカップルとイタリアで合流してバカンス。
2. YouTube動画でもお馴染みの仏文科メンバー。中央右が、パリでバッタリ再会したアミ。

締めの言葉に替えて…

J'aime les croissant.
J'aime la baguette.
J'aime le fromage.
J'aime le Louvre.
J'aime Montmartre.
J'aime les quais de Seine.
J'aime les terrasses de café.
J'aime les cinémas du Quartier Latin.
J'aime me promener la nuit à Paris.
J'aime faire la fête.
J'aime la grasse matinée.
J'aime flâner à Paris.
J'aime faire du lèche-vitrine.
J'aime l'apéro l'été.
J'aime partir en vacances.
J'aime rêver.
…J'aime la vie!

Ryoko Paris Guide

「クロワッサンが好き。バゲットが好き。チーズが好き。ルーヴルが好き。モンマルトルが好き。セーヌ河岸が好き。カフェのテラスが好き。カルティエ・ラタンの映画館が好き。夜のパリを散歩するのが好き。パーティが好き。朝寝坊が好き。ブラ歩きが好き。ウィンドーショッピングが好き。夏のアペロが好き。バカンスが好き。ぼーっとするのが好き。…人生が好き!」

Ryoko Paris Guide

フランス政府公認パリガイド。大学の仏文科を3年で中途退学し単身で渡仏。映画学校などで学んだ後、フランス人と結婚、離婚、再婚、出産を経験する。在住23年の現在は、夫と10歳の日仏ハーフの娘と3人で暮らす。翻訳業などを経て、フランス政府公認ガイドとなる。コロナ禍で始めたYouTubeチャンネル「Ryoko Paris Guide」では、フランス庶民の暮らしや、パリの街歩き、フランスの旅レポートなどを発信している。

YouTube「Ryoko Paris Guide」
https://www.youtube.com/@RyokoParisGuide

Instagram
https://www.instagram.com/ryoko.parisguide/

STAFF

撮影●Ryoko Paris Guide
デザイン●若井 夏澄(tri)
DTP●谷 敦　秋本 さやか(アーティザンカンパニー株式会社)
校正●麦秋アートセンター
企画・編集●鈴木聡子

フランス人は生きる喜びを知っている
人生に貪欲なパリジャンに囲まれてみつけた小さな幸せ

2023年3月23日　初版発行

著者　Ryoko Paris Guide

発行者　山下 直久

発行　株式会社KADOKAWA
〒102-8177　東京都千代田区富士見2-13-3
電話0570-002-301（ナビダイヤル）

印刷所　大日本印刷株式会社

●お問い合わせ
https://www.kadokawa.co.jp/（「お問い合わせ」へお進みください）。
※内容によっては、お答えできない場合があります。
※サポートは日本国内のみとさせていただきます。
※Japanese text only

定価はカバーに表示してあります。

ISBN 978-4-04-606178-2 C0095